もっとヘンな論文

サンキュータツオ

角川文庫
22253

はじめに

論文、という言葉を聞くと、なにかものすごく難しくて、自分では理解できないものだと思っている人がいるかもしれない。

しかし、決してそんなことはない。とくに私がこの本で紹介する論文たちは、「人を笑わせ、そして考えさせてくれる研究」を表彰する「イグノーベル賞」などにも入選しない、それでいて書いた人たちの膨大な時間と情熱が詰まった、「残念な論文」かもしれないが、一度目を通してもらえれば、だれでも理解できる書き方と内容で、最終的には研究者ってすごい人たちなのだと再認識してもらえる内容だと思っている。

自分の研究領域の論文を読むのに疲れて、図書館でほかの人たちはどんな研究をしているんだろうとふと思って読み始めたら止まらなくなった趣味「ヘンな論文収集」。たしかにヘンだが、なぜそうなったのか、どうしてそういうことをやろうとしたのかもご紹介したいと思う。

読む前に、前作『ヘンな論文』で提唱した、すべての研究は4種類に分類できるということを頭に入れてもらいたい。

4種類とは、

1.「人間とはなにか」の「いまどうなのか」の研究
2.「人間とはなにか」の「いままでどうだったのか」の研究
3.「この世界とはなにか」の「いまどうなのか」の研究
4.「この世界とはなにか」の「いままでどうだったのか」の研究

である。

もちろん程度のグラデーションはあるが、イメージでいうと、どの研究も4つに区切られたどこかには必ず位置している。これから読む論文が、この4種類のどこに位置する論文なのか、考えながら読んでみると楽しいかもしれない。

私は「学者芸人」なんていう肩書もあるが、学者も芸人も、私から見ると自由でタガのはずれたエンターテイナーであることはおなじだ。というか、ほぼおなじ人種だと思っている。

断言します。論文は、笑えるものほど素晴らしい！　良くぞここまでやったよな、と。

今回も、珠玉の論文をご紹介します。

目次

はじめに 3
一本目 プロ野球選手と結婚する方法 …… 7
二本目 「追いかけてくるもの」研究 …… 27
三本目 徹底調査！ 縄文時代の栗サイズ …… 41
四本目 かぐや姫のおじいさんは何歳か …… 59
五本目 大人が本気でカブトムシ観察 …… 73
六本目 競艇場のユルさについて …… 91
七本目 前世の記憶をもつ子ども …… 115
番外編I 偉大な街の研究者 …… 131

八本目　鍼灸はマンガにどれだけ出てくるか……147
九本目　花札の図像学的考察……163
十本目 その1　「坊っちゃん」と瀬戸内航路……181
十本目 その2　「坊っちゃん」と瀬戸内航路 後日譚……207
番外編Ⅱ　「坊っちゃん」と瀬戸内航路 全文　山田廸生……226
あとがき　263
文庫版あとがき　270

イラスト　岡田　丈
装丁　國枝達也

一本目
プロ野球選手と結婚する方法

向井裕美子(2008)「プロ野球選手と結婚するための方法論に関する研究」
明治学院大学 卒業論文

卒論の良作発見!

最初に紹介するのはネットでも話題になった論文「プロ野球選手と結婚するための方法論に関する研究」だ。そのタイトルからもうかがえるスキャンダラスな内容、そんなことが研究になるのかというテーマ設定、たしかに論文になじみのない人が騒ぐのも無理はない。しかもこの論文を書いたのは大学4年生の女性で、卒業論文として書かれたものなのである。

私が最初にこの論文を読んだとき、いたく感動したのを覚えている。もちろんこれは「ヘンな論文」たちを紹介する本なのであるが、大学4年生にしてすでにこのレベルの研究ができるなんて、この人、研究者適性すごい! と思った。どうだろうか、いまでこそ学部によっては卒業論文というものがなくなったが、それでも「卒論」を書いた人は多いのではないだろうか。

3年生くらいからボンヤリと頭のなかで「卒論なににするかなぁ」と悩みはじめ、興味のあることがたくさんあっても、いざ卒論、となると立派なことを書こうとして、本当に興味のあるものではなく、学問らしい硬いテーマを選んでしまう。それでも私がいた文学部はサッカーをテーマにしたり、映画やマンガをテーマにしたりと、比較的自由に研究できたわけであるが、よくよく考えてみれば学部を問わずこういう研究はできる。経済学部や商学部ならビジネスとヒモづけて研究することもできるし、ビジネスになっていないジャンルならどうやってビジネスにしていくかも考えられる。論文にするのに必要なのは、こういう必要があって研究しました、という「大義名分」であって、実際のところは「やりたいこと」を追求しているに過ぎない。そういう意味でも卒業論文というのは、正式には投稿論文として認められてはいないものの、大学に保管される、立派な「生きた証《あかし》」なのである。

「卒業論文は一生もんだから」とよく社会人にいわれたものだが、当時はいまいちピンとこなかった。だが、いざ社会に出てみると（私は社会には出ていないが、社会人と接する年齢になったとき）、「卒論なにやったんですか」「どんな研究をしたんですか」と聞かれることは多い。修士論文、博士論文となるとそれこそ一生ついてまわる質問だ。そんなときに、「えぇっと、ごにょごにょ」となってしまうよりは、「はい、プロ野球選手とどうやったら結婚できるかについて研究しました！」となれば、それだけでも「なにそれなにそれ」と上司や取引先の興味をひくこと請け合い。否定されるにしても、研究のテーマや切り口に対して保守的な人か、リベラルな人か、それくらいのものを判断する素材にはなるはずだ。それほどに、卒業論文というのはおもしろい。

だれしもがなんとか登頂している山、つまり審査を通っている課題であり、人生で書いたことのない枚数の原稿をはじめて仕上げる通過儀礼なのである。ああすればよかった、このテーマで行けばよかったと必ず後悔を抱える対象であり、人生で往々にして出くわす「問題」に対して自分がどう向き合うかが問われる存在だ。軽率だった論文として「率論」などと自虐的に語る大人だっているくらいだ。

そんななかでもこの論文、学問的な手続きがどこまで身近なテーマを解析できるのかということが非常によくわかる優秀な卒業論文であることを明言しておこう。あの人と結婚するためにはどうしたらいいのか、あの人に好きになってもらうためにはどうしたらいいのか。「人間の感情なんてどうすることもできないから、そんなこと考えても無駄無駄無駄」と思っている人たちがいたら、なにか勘違いしているんじゃないだろうか。そういうことは重々わかっていても、努力でカバーできることや論理でわかることは、だれよりも努力しよう、考え抜こうという姿勢こそが、学問のカッコよさなのだ。よしんば、無駄、ということが結果でわかっても、それが確認できれば満足。「こうすればよかったのではないか」「まだベストを尽くせたのではないか」、そういう後悔をしたくないから、論理でわかることを突き詰めるのである。内容はズバリ「どうやったらプロ野球選手と結婚できるのか」ということを大真面目に研究してみた論文である。

論文執筆の動機とは

冒頭に書いてある主旨がすごい。

「本研究は、プロ野球選手に憧れを抱く20代を中心とする女性の手助けとなるよう、プロ野球選手と結婚するための方法論を策定することを目的とし、調査を行った」。

ここまではっきり宣言されると気持ちいい。もはやツッコむ気力すらなくなるではないか。俄然《がぜん》興味津々である。

「ここでの方法論を基に、多くの女性がプロ野球選手と結婚することが出来ればうれしく思う」。

だいたいの女性は論文を読まないと思うので、ここで私が紹介したいと思う。ここで紹介しても、少ない読者なのだが。完全に、女性はプロ野球選手に興味があるもんだ、という前提で入っているのがおもしろいではないか。ジャニーズだなんだではない、女性は甘いマスクと見事な筋肉をたたえた、プロ野球選手が好きだという決めつけが気持ちいい。

気になりまくって、論文の一ページ目に目を通す。「I　はじめに」の「1－1　研究の目的と背景」、つまり最初を読むと、こう書いてあった。

「10代や20代の女性にとって、プロ野球選手は憧れの存在であり、その多くが、一度はプロ野球選手と結婚したいと考えたことがあるのではないか。私もその中の一人である」。

やっぱりそうだったか。すがすがしいくらいまっすぐな内容だ。とはいえ、「10代や20代の女ですけど、まったくプロ野球選手に興味ありません」「なんで付き合うんじゃなくて、いきなり結婚なんですか」と、横槍《よこやり》を入れようと思えばいくらでも入れられるところに、この論文があらぬ誤解を受ける隙があるのだ。この論文は、ミーハーな女子学生が書いた、バカな論文なのではないか、と。

でも、こう考えてほしい。この論文が「プロ野球選手の配偶者属性分析および行動パターン分析」というタイトルだったら、少し印象がちがうだろう。それっぽい感じもするかもしれない。だが、それでは読んでくれる人が限られるのだ。少しでも届きやすいタイトルにしているからこそ、この論文は親しみがあるのだ。多少のアラくらいは目をつぶりたい。だってこれは卒論なのだから。否定する人は、これより面白い卒論を書けるのかあるいは書けたのか、自分と向き合ってみてほしい。

結婚相手はどんな人か

まず、この論文の筆者が考えたのは、結婚相手の属性分析である。「アナウンサー以外でプロ野球選手と結婚するのはどのような女性なのか。また、一般人の女性（アナウンサーを除く）はどのような手段でプロ野球選手と知り合うことが出来るのであろうか」と、とにかく女性アナウンサーを別枠で考えることにして、それ以外のカップルがどのように成立しているのかをちゃんと考えるぞ、というものである。

「そこで、本論文では以上の疑問を解決すべく、入手可能なデータから選手の結婚相手の婚前の職業を中心に分析し、その実態を明らかにし、プロ野球選手と結婚するための方法を調査・分析していく。さらに、選手自身の既婚者の特徴や、一般の女性の中でもプロ野球選手と結婚している人にはどのような傾向が見られるかなどの実態も究明していく。

そして最終的には、私を含めプロ野球選手と結婚したいと考えている多くの女性（20代を中心とする）の手助けとなるような結果を導き出すことを目的とする」。

ここまできたら、ひとり文春砲である。なにこの粘着質な感じ！　しかし、この人にとっては、スキャンダルではなく自分にもフィードバックできる「実学」になっているので、飯のタネにしているわけではない点で純粋だ。学問とはかくあるべきである。自分が知りたい、調べずにはいられない、という衝動だけで動いている。しかもそれを知りたい人がシェアできる知見という意味で論文にまとめているのがカッコいい。

プロ野球選手と結婚したいという夢を見ていながら、それでも「すべての野球選手がアナウンサーと結婚しているわけじゃない。プロ野球選手といっても、1軍じゃない選手もいるし、報道されていないけど、静かに結婚している人もいる。私はそれでいい、とにかくプロ野球選手と結婚したいんだ！」という現実主義的な考えが垣間《かいま》見えて、なんとも味わい深い。卒論を書く時期にこれほどまでに執念を感じさせてくれるということは、女子アナ試験に落ちたのだろうか。いろいろな想像をしてしまう。

さあ、それでは考えていただきたい。プロ野球選手と結婚している女性の職業、いったいなんだろうか。女子アナウンサー、CA、チアガール、ビール売りの女の子？

周辺のデータからわかること

ちょっとその前に、論文の筆者は職業だけでなく、年齢、知り合ったキッカケ、出身地、これらのデータをわかる範囲で集め分析をした。

まず私が知りたいのは、「知り合ったキッカケ」である。私もプロ野球がそれなりに好きだが、プロ野球選手と知り合いだ、という素人にはなかなか会ったことがない。あの球団のあの選手が隣の中学だったとか、おなじ県大会に出ていたとか、接点なのかどうかもよくわからない接点だけしか聞いたことがないのだ。ではどうやってプロ野球選手と知り合えるのか。

この論文の調査によって、プロ野球選手と結婚した女性たちが、彼らと知り合ったキッカケでもっとも多かったのは、なんと！

「知人の紹介」。

いや、知人いねーよ。その知人がどこにいるのか教えてほしい。その「知人との知り合い方」のデータがほしい。合コンとかに呼ばれるってことなんだろうか。いわゆる「プロ彼女」ってやつなのか？

じゃあ出身地はどこか。プロ野球選手と結婚する女性にはこの県！　みたいなのはあるのだろうか。

出身地に関しては、「それぞれの球団のある地方都市が多い」。

そりゃそうか。いまは札幌《さっぽろ》から福岡まで球団があるし、当然ホームのある都市の女の子と出会うというのだろう。とはいえ、選手たちの出身はさまざまだ。47都道府県で高校野球は活発だ。となると、高校の時から付き合ってて……みたいなのは、レアケースということになるのだろうか。たしかに、あんまり時間なさそうだしな、プロ野球選手。

結婚したときの年齢はどうだろう。

「平均25・2歳」。

早い！　となると、高校を卒業して、大学に行ったり働いたりして、付き合って2

年くらいで結婚するとして、かなり早い段階で結論出しているんだなあ。プロ野球選手って、一流選手以外の多くは30歳くらいまでで現役を終えるんだけど、そこで第二の人生を歩んでいく覚悟があるんだろうか。ここでもいろんなことを想像してしまう。日本の女性の結婚年齢の平均が28・2歳なので、かなり若くして結婚していることになる。論文の筆者が焦るのも無理はない。本気でいくなら、もうそろそろ「知り合い」を見つけて、出会って、付き合いはじめないとゴールはできない。大学新卒はすべて現役で来ても22歳なのだ。

さて、その職業は？

では、どんな職業につけばいいのか。そろそろ答え合わせをしたい。アナウンサーが結婚しているイメージがあるが、実は一番野球選手と結婚しているのは、「家事手伝い」なのだそうだ。

家事手伝い!? え、働いてないの!? どういうことなの!? なんと約半数になる、47％が「家事手伝い」だそうなのである。

実はこれには裏がある。ニートやフリーターというわけではないのだ。この「家事手伝い」というのは、ほとんどが「水商売関係者」、つまりスナック、キャバクラ、クラブのお嬢様たちなのであった。

表３－１　参考資料２の概要

既婚者数	178					
	20 歳未満	20 歳～29 歳	30 歳以上			
平均初婚年齢	5 (3.4%)	134 (89.9%)	10 (6.7%)			
	家事手伝い	OL以外	OL	芸能人・モデル	アナウンサー	学生
結婚前の職業	70 (47.6%)	27 (18.4%)	26 (17.7%)	14 (9.5%)	7 (4.8%)	3 (2.0%)
	知人の紹介	同中高出身	同大学出身	幼なじみ	その他	
知り合ったきっかけ	86 (67.7%)	21 (16.5%)	7 (5.5%)	2 (1.6%)	11 (8.7%)	
	東京	神奈川	埼玉	その他		
出身地	15 (12.9%)	18 (15.5%)	9 (7.8%)	74 (63.8%)		

（単位：人）

なるほどなるほど。読めてきた。つまりこういうことだ。

野球選手は年中いろんな地方で仕事がある。どこかで偶然に出会って、会う約束をして、どういう人かをしっかり見極めながら少しずつお互いを知っていく時間などはあまりない。腰をすえて付き合ったりすることが難しい。そんな彼らの息つく場所は、各球団のフランチャイズの街にある、球団や選手御用達のお店である。そういうところでなじみのホステスさんがいて、最初はなんとも思っていなかったけど、行けばそこにいる。人柄もなんとなくわかってくる。素人相手だとこのネット時代、なにをいい出すかわからない。そうか、プロ根性のある口の固いこのホステスなら……となって、付き合う、結婚する、というパターンが多いのだ。

となると、「知人」というのは合コンとかもあるかもしれないが、お店の先輩ホステスであったり、常連の野球選手だったりということなのだろう。選手の先輩は先輩でそこで奥さん見つけた的な選手だったり。

つまりプロ野球選手と結婚したかったら、その球団の選手がよく来る水商売のお店のホステスとして潜入する、というのがもっとも打率のいいコースだということになる。

女子アナになれば良いのではないか

ではアナウンサーはどうだろう。女子アナウンサーは、野球の中継レポーターなどを任されることもあって、ルールにもそこそこ精通しているし、よく顔を合わせるので、お店に行かなくても出会える存在として、野球選手の前に現れることができるではないか。これほどの研究をできる才女である。なんとか女子アナになる方法を策定したほうが早いのではないか。

と思ったら、ここで悲報。この論文にはそんなこともちゃんと書いてある。キー局のアナウンサーになる確率をしっかりはじき出しているのだ。さすがにぬかりはない。中継レポーターになれるレベルの、キー局の女性アナウンサーは、同世代の女性のうち0・00012％。100万人に12人の計算である。

表２－２　既婚／未婚の比較

	選手人数（外国人抜き）					平均年齢（歳）			平均年俸（万円）		
	全体	既婚	既婚割合	未婚	未婚割合	全体	既婚	未婚	全体	既婚	未婚
巨人	71	33	46.5%	38	53.5%	26.7	30.5	23.5	5459	9891	1766
中日	66	26	39.4%	40	60.6%	27.4	31.9	24.7	5380	9043	3050
阪神	63	26	41.3%	37	58.7%	27.3	30.8	24.7	5409	9683	2121
ヤクルト	60	29	48.3%	31	51.7%	27.7	30.6	25.1	3844	5406	2459
広島	65	32	49.2%	33	50.8%	26.8	30.0	23.6	2558	4252	961
横浜	62	32	51.6%	30	48.4%	27.2	29.9	24.1	3283	4652	1685
セ・リーグ	387	178	46.1%	209	53.9%	27.2	30.6	24.3	4322	7155	2007
ロッテ	63	29	46.0%	34	54.0%	26.8	30.5	23.4	3991	6874	1355
日ハム	57	25	43.9%	32	56.1%	27.1	31.0	24.6	3315	4840	2285
西武	60	25	41.7%	35	58.3%	27.3	30.6	24.9	4704	7516	2685
ソフトバンク	63	24	38.1%	39	61.9%	26.2	30.0	23.7	4684	7793	2686
オリックス	64	29	45.3%	35	54.7%	28.0	31.6	25	2941	4685	1519
楽天	64	34	53.1%	30	46.9%	28.9	31.0	26.4	2638	3500	1582
パ・リーグ	371	166	45.4%	205	54.6%	27.4	30.8	24.7	3712	5868	2019
全球団	**758**	**344**	**45.4%**	**414**	**54.6%**	**27.3**	**30.7**	**24.5**	**4017**	**6511**	**2013**

アナウンサー以外の職業でプロ野球選手と結婚するのは、０・００１８％。１００万人に18人の計算である。

おい、ちょっと待てよ、と。この数字から考えると、プロ野球選手と結婚するより、アナウンサーになるほうが難しいではないか！　そしてプロ野球選手と結婚する目的のために、女子アナになるって、なんかいろいろ無駄遣いな気もする。

だが、朗報もある。アナウンサーがプロ野球選手と結婚できるのは、７％の確率だ。これはかなりの数字である。昨今ではこれにサッカー選手も入ってくるので、女子アナって職業もいかに出会いが限られているかがよくわかる。ただし、この確率、アナウンサーになってしまえば、プロ野球選手と結婚するのは、一般人よりは4300倍以上の確率でできるという数字である。4300倍。バカバカしい数字である。

しかも、この論文はご丁寧に、プロ野球選手の選手名鑑などから、選手が結婚した年とそのときの年俸を算出し、既婚選手と未婚選手の平均年俸差まで計算しているのだ。まず、既婚グループから紹介しよう。

「家事手伝い」で結婚した人の相手の野球選手の平均年俸が4911万、約5000万なのに対して、アナウンサーのお相手の平均年俸が1億3814万、1億4000万なのである。この格差たるや。すでにここにヒエラルキーのようなものを感じてしまうのは私だけなんだろうか。エリートはエリートとくっつき、雑草魂はお店の女性と出会うのだ。

もっとずしんと来るのは、未婚者の平均年俸だ。2007年度現在、未婚のプロ野球選手の平均年俸は2013万円。論文によると既婚者の平均年俸の3分の1である。選手としてのステータスをあげないと結婚もできないような錯覚すら覚えてしまう。でもそれも仕方ない。まだ頭角を現すまえから、この人、と思って付き合っておかないと、有名になってからでは相手にしてくれない、という選手もいるんだろう。そこは選手側も女の子側も利害の一致しているところなのかもしれない。

研究の意味

この論文、日本の結婚の実態と照らし合わせて論じられているので、実は「女性の結婚」という深いテーマが見え隠れする、考えさせられるものになっている。

というのも、さきほどの「知人の紹介」にしても、結局結婚している選手の奥さんの知り合い、とかから広がっていくパターンとして、67・7％にもなっているのだが、これも日本全体で考えた場合の「結婚相手との知り合い方」としては約20～30％の知り合い方なので、プロ野球選手の結婚の仕方というのが、ものすごく特殊な結婚パターンというのが浮かび上がってくるのである。

この論文は、プロ野球選手に一斉にアンケートに回答してもらい、さまざまな出会い方について回答を得ており、そのなかにはおなじ高校だったり、幼馴染《おさななじみ》だったり、ボールガール、ホームランガール、野球場でのバイト、割れた爪を治してもらったのがキッカケで……なんていう少女マンガのような出会い方もあるにはあるのだが、ほとんどは地元のお水、という夢があるのかないのかわからない結果が浮かび上がってきたのだった。

感覚だけで語ってはいけない、裏をとり、数字を出して、現実を見る。それが研究の存在意義だ。この論文はオヤジジャーナルや素人が感覚で語っていることを、しっかりと自分で調査して出した結果として言語化までしている点で、偉大な研究なのだ。

姉さん女房説、浮上

この研究の副産物とでもいうべき興味深い数字が、論文には紹介されている。25歳で結婚なんて早すぎる、と思ったオーバー25歳の人でも、一縷《いちる》の望みがありそうな数字。「年上率」という数字である。

プロ野球選手が結婚する相手が「年上」という俗説も、データでそのまま分析して真偽のほどを明確にしている。

「Ⅳ 結婚相手の分析」という章で、結婚相手の年齢と、球団別データが示されている。これによると、「巨人は24歳で結婚した女性が一番多く、中日は28歳、阪神は24歳と26歳、ヤクルトは24歳、広島は24歳、横浜は23歳と24歳」となっていたようだ。あれ、若いじゃないか、とそう思うかもしれない。だが、プロ野球界の常識はここでも世間と大きくちがうところがある。それは、「プロ野球選手で年下の女性と結婚する人は、一般人よりはるかに少ない」ということだったのだ。

プロ野球選手の場合は結婚相手が年上のパターンは全体の36・5%、結婚相手が年下のパターンは全体の35・1%、同年齢のパターンは全体の28・4%ということがわかったのだ。これは「日本人の平均は結婚相手が年上のパターンが全体の23・5%、

図4－1－2年齢分布グラフ（巨人）

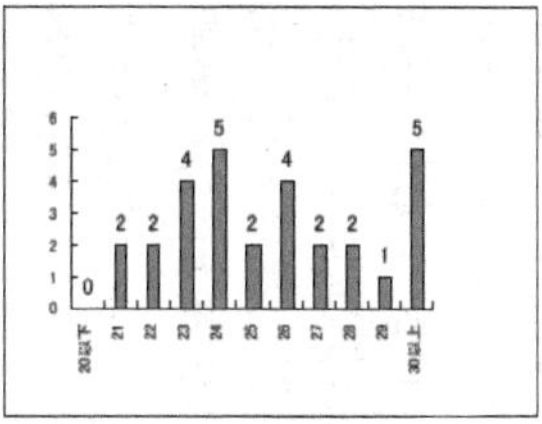

図4－1－3年齢分布グラフ（中日）

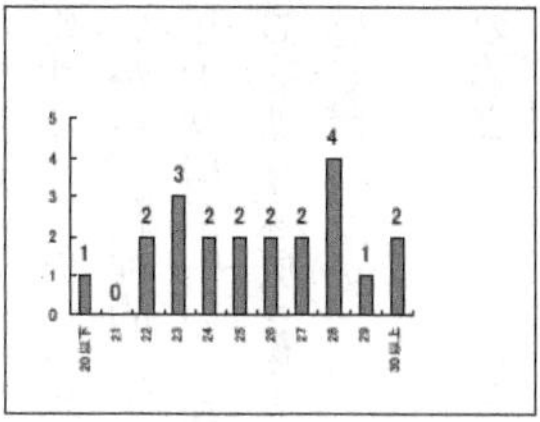

図4－1－4年齢分布グラフ（阪神）

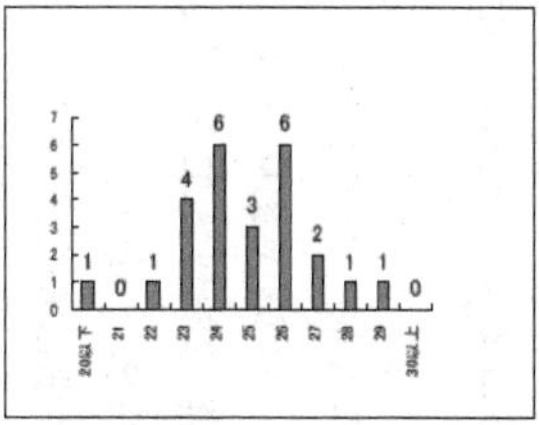

図4－1－5年齢分布グラフ（ヤクルト）

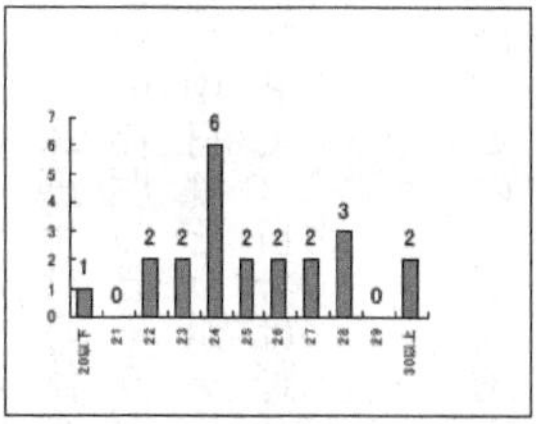

図4－1－6年齢分布グラフ（広島）

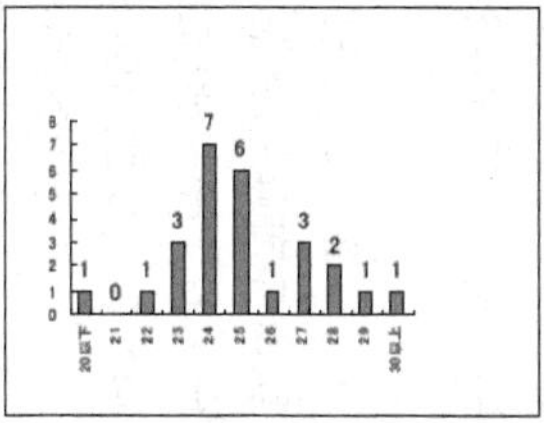

図4－1－7年齢分布グラフ（横浜）

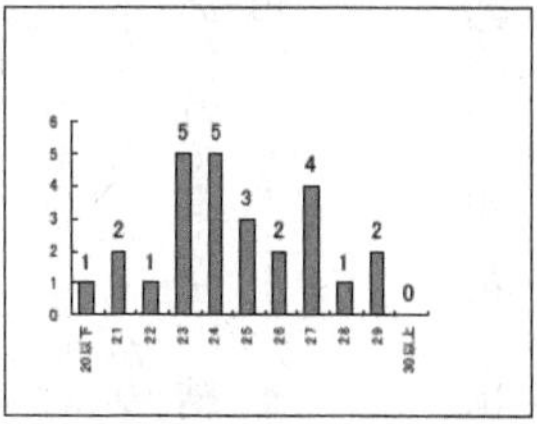

結婚した年齢までデータ化するねちっこさがたまらん。

結婚相手が年下のパターンが全体の57・1％、同年齢のパターンが全体の19・4％」であるのに比べると、えらい隔たりがあるのがわかるだろう。

なかでも、「中日」の奥さんの「年上率」がずば抜けて高い、ということがわかった。論文にはこう書いてある。「中日の場合、結婚相手が年上：57・1％、結婚相手が年下：33・3％、同年齢：9・5％となり、年上率がずば抜けて高いことがわかる」。年下のプロ野球選手と付き合いたい場合は、名古屋のお店にいこう！　勇気がわいてくる数字である。

つまりこういうことだ。高卒あるいは大卒1年目か2年目、先輩に連れていってもらったお店にいた女の子と知り合い、2年くらいの交際で、一つか二つ上のお姉さんと結婚する、といった物語だ。野球選手は身体を作ったりしなきゃいけないし、遠征も多いから、精神的に不安定で依存度の高そうな年下よりも、しっかりと管理してくれる年上女房がいい。なんなら中日はそれがチームの伝統でもある。結婚したら、あとはひとまず家庭を奥さんに任せて、自分は野球に集中する！……たまに遊ぶ。といった感じだろうか。

この論文がさらにすごいのは、このような選手名鑑的な情報収集とは別に、選手に直接インタビューした結果も書かれていて、うっかり答えてしまった選手もいるという事実である。この行動力。フィールドワーク。オヤジジャーナルもカバーしていなかった、若さゆえの思い切りぶりである。インタビューを引用しよう。

「女性と知り合う場はかなり多くあります。（中略）後援会・選手会などの知り合いとの会合や、地元企業との懇親会での紹介は多いんですよ」。「あとは、高級クラブの女性のアプローチはすごいです。必死な感じがします。また、提携の航空会社がありまして（中略）そこで数回おなじ女性と会います。先輩選手が知っている客室乗務員を紹介してもらうことも非常に多いです。芸能関係もコンパがかなり多いです」。

なんと。ここまであけすけに話してくれるとは。高級クラブの女性は、千載一遇のチャンスと思って必死なのだろう。選手からしてみるとその「必死さ」が痛いのだろう。まだCAやコンパにほいほい来るタレントのほうに興味が向いているのがよくわかる。一流のプロ野球選手となると、こういう選択肢から、ハズレをひかないように、内助の功になる奥さんを見つける「選球眼」も必要になってくるわけだ。結婚だけではなく遊び相手にもことかかない状態である。となると、出会うことはできても結婚まで踏み切らせるのはまた難しそう。この論文の次なる課題は、出会ってから付き合うまで、そして付き合ってから結婚まで、というステップごとの詳細な検討だろう。

とにかくこの論文、こういった生々しい証言を拾ってきただけでも相当な価値がある。一学生の卒論にしておくのはもったいないレベルのシロモノである。

まとめると、20代のうちに「知り合いに紹介」してもらうか、地元の水商売関係者になり、出会うときは2軍の選手と出会って、結婚するのが一番いい、と考えることもできそうだが、恋愛が確率論ではないことは論文の筆者も重々承知してのことだろう。ただ、「いったいどうすればいいのか」という雲をつかむような状態から、自分の力ひとつでここまでたどり着くことができたことは称賛に値することだと思う。

こんなことまで研究になってしまうおもしろさ。そしてこの事実を通して、日本の「結婚」の姿までも見えてくる、という、傑作だった。

みなさんも、興味のあることに対して、データをとるとか、取材するなどして、「なんとなく」ではなく「数字」や「形」にして考えてみると、思いもしなかったことが発見できるかもしれない。

ところで、一番気になったのは、確率よりも、結婚相手の容姿なのだが、そこに関しては一切触れられていなかった。容姿は好みの問題、だったのかな？

二本目
「追いかけてくるもの」研究

三柴友太(2009)「「追いかけてくるもの」研究 ―諸相と変容―」
『昔話伝説研究』第29号　昔話伝説研究会

「追いかけてくるもの」とは

出ました、タイトルからして「ヘンな匂い」を発している論文。「追いかけてくるもの」の研究ということで、はて、締切？　年の瀬？　とか思う人もいるかもしれないが、そうではない。
論文冒頭にはこう書いてある。

本稿では、現代の世間話「追いかけてくるもの」の整理・考察を行い、その諸相を明らかにする。

いやだから「追いかけてくるもの」を説明してくれよ！
いきなりこんな宣言が書いてあるので、なにか特定の業界では「追いかけてくるもの」は定番の用語なのかなと思っていたら、そのすぐあとにこう書いてあった。

「追いかけてくるもの」とは筆者の造語ではないが、あまり一般的な語とはいいがたい。

自覚あったのかよ。

この研究、現代の「世間話」のなかから「追いかけてくるもの」に関するものについて考えたということが書いてありましたよね、最初に。「世間話」というのは、実はこの『ヘンな論文』の1作目にも『世間話研究』というしびれるタイトルの雑誌があることをご紹介しましたが、文学の一ジャンルなのです。口承文芸「民話」のひとつで、基本的には語り手が実際に見聞きしたことをしゃべるというスタイルのもので、目撃談みたいなものです。

そしてこの論文は、「現代伝説」とか「都市伝説」のなかから、とにかく後ろから「追いかけてくるもの」についての話を集めて、分析したという研究なのであった。この論文の存在自体が都市伝説になっちゃうよというタイトルだけに、惹《ひ》きつけられるパワーがハンパない。果たしてそんな論文が本当にあるのか⁉　信じるか信じないかは、あなた次第です。

たとえばどんな話が後ろから「追いかけてくるもの」なのか。採集した話にはこんなものがあったので紹介しよう。

北海道の摩周湖で、夜の十二時すぎに車で走っていると、うしろから年老いた女の人が走って追いかけてくるという話がある。その老女は人間なのに、車より速いスピードで追いついてくるという。これをふりきるには、時速百キロ以上ださないと逃げきれない。これが俗にいう、「百キロババア」。もし追いつかれると、事故ってしまうとか。ウワサでは、摩周湖のマリモを投げつけると逃げるらしい。

　こんなような話だ。なんとなく怖いといえば怖いが、マリモを投げつけると逃げるというところが、全然怖くない。決定打にかける怖い話というか、ウソみたいな話になってる。

　しかし、北海道に限らず、全国各地でこの「百キロババア」のようにうしろから「追いかけてくるもの」が出てくる似たような話がたくさんある、という。それもだいたいが、猛スピードの老婆なのだ。しかも「百キロババア」とか「ダッシュ婆《ばばぁ》」とか「一〇〇キロ婆」と、呼称に地方性やバリエーションがあるのもすごい。

　そういった話を集めまくって、類型を調べる。パターン分析をする、というヒマとしか言いようのないこの論文を追いかけたのは、日本でも私しかいないかもしれない。でも、ちょっとおもしろそうでしょ？

追いかけてくるものを6つに分類

こういう「追いかけてくるもの」の話を日本全国から書籍などを参考に、拾ってくるのである。

話の内容は単純なもので、展開はどれも大同小異であることがわかる。車やバイクの運転手が、後方から信じがたい速度で接近してくる異形の存在に気付く。どの話もここまでは同様だが、追い越されると事故に遭うとか、追い越す際にニヤッと笑うといった事例も多い。

と、最大公約数の話の展開はこんな感じだそうだ。つまり、怪談みたいなちょっと怖い話のなかで「追いかけてくるもの」がけっこう出てくるのだそうだ。

この三柴先生は、こういった話を分析した結果、「追いかけてくるもの」には、6種類の類型があることがわかった、という。

これが一覧できるような表にまとめられているので、衝撃の「表」を見ていただきたい。

名称、目撃された地域と場所、そして実際にどういう話かなどをまとめた表、すごい。これが「追いかけてくるもの」の全貌《ぜんぼう》である。

では、6種類がどんなものかというと、

A　老人型

これは、ほぼババアなんだけども。おばあさんなのに速いのかよ！　というパターン。

「おばあさま」ではなく「ババア」っていうところが、愛されていない感じのネーミングで切ない。

「ジャンピング婆」と呼ばれる、愛知県に伝わる高速のおばあさんは、「着物に下駄履きの老婆。ジャンプしながら追いかける。追いかけられた車は事故にあうという」と書いてある。少なくとも、ジャンプ、という言葉ができてから出来たキャラだから、歴史はそんなに古くないだろう。モダンなお婆さんだ。

ほかにも、「リヤカーを引いた老婆。車と競争する」という「追いかけてくるもの」がいるが、もう目的がわからない。負けず嫌い、なのだろうか。

B　脚部欠如型

足がない。すんごい速いのに足がないというパターン。

【表1】「追いかけてくるもの」の特徴及び概要表

	名称	形体	場所	地域	概要	出典
1	100キロ婆	A	トンネル	埼玉県生丸峠	車を追いかける。追い越す時に笑いかける。	1
2	百キロババア	A		北海道川上郡摩周湖	夜の十二時過ぎに出る。追いつかれると事故にあう。 摩周湖のマリモを投げつけると逃げるという。	2
3	走るばあさん	A	トンネル		車を追いかける。トンネルを抜けると消える。	3
4	走るおばあさん	A			白い着物を着た老婆。車を追いかける。	4
5	走るおばあさん	A		神奈川県	100キロで飛ばしていると後ろからおばあさんが走ってくる。	5
6	ジャンプばば	A			後ろから老婆がジャンプしながら追いかけてくる。	4
7	ジャンピング婆	A	トンネル	愛知県と静岡県の国境	着物に下駄履きの老婆。ジャンプしながら追いかける。 追いかけられた車は事故にあうという。	4
8	ジャンピング婆	A		愛知県名古屋市	家の屋根をジャンプしながら車を追いかける。	6
9	タタタババア	A	山道		車と同じ速度で追いかけてくる。事故にあう。	7
10	コツコツばあさん	A	高速道路		カップルで高速道路を時速120キロで走ってると出る。	7
11		A			時速80キロ以上の速度で追いかける。 逃れるためにスピードを上げると事故にあう。	8
12		A	山道	神奈川県	老婆の幽霊。追いつかれると気が狂う。	9
13		A	トンネル		リヤカーを引いた老婆。車と競争する。	3
14		A	トンネル	大阪府河内長野市	ボロボロの服を着たおじいさん。車を追いかける。	4
15		A	山道		通り過ぎて振り向くと追ってくる。念仏を唱えたら助かった。	8
16	よつんばい	C	峠	埼玉県生丸峠	よつんばいの女。車を追いかける。	1
17	牛女	C		兵庫県西宮市甲山	けもののような女。必死に逃げるが事故にあう。	4
18		C	山道		白いワンピースにハイヒールを履いた髪の長い女。	5
19		C	峠		バイクの後ろに乗せた少女がミラーに映らない。 振り落とすと、よつんばいで追いかけてくる。 追いつかれそうなのでスピードを上げたら事故にあう。	8
20	人面犬	D	高速道路		人面犬身。車を追いかける。ニヤリと笑って追い越す。	3
21		D	高速道路		猫面人身。車を追い越す。	4
22	赤い車	E		北海道千歳市支笏湖	サイドミラーの壊れた赤い車。 追い越された後についていくと事故を起こす。	4
23	三輪車小僧	E		東京都府中市	三輪車に乗った幼児。トラックを追いかけるという。	6
24		E	高速道路	東北地方	カブに乗った蕎麦屋の出前。150キロほどの速度。	4
25		E	峠		黒いバイクに乗った人。タイヤがついていない。	4
26		E	トンネル	山梨県笹子トンネル	スーツを着て自転車に乗った銀行員風のおじさん。 全身血まみれ。時速120キロの車に追いつく。	8
27	首なしライダー	F		奥多摩	追い越されると事故にあう。	10
28	首なしライダー	F	トンネル	奥多摩	白い特攻服を着た首のないライダー。見ると事故にあう。	10
29	首なしライダー	F	山道 カーブ	群馬県榛名山	伊香保温泉から数えて13番目のカーブ。アクセルを3回ぶかしすると首のないライダーが出て追いかけてくる。	10
30	首なしライダー	F		千葉県	木と木の間に張られた糸でライダーの首が吹っ飛んだ。 首のないライダーが出るようになり、追い抜いていくように。	10
31	首なしライダー	F		京都宇治川ライン	夜中にそこを走ると首のないライダーに追い抜かれる。	10
32	首なしライダー	F	トンネル		バイクが追ってくる音がするがミラーには映らない。 振り向くと首のないライダーが追い越していく。	8
33	首なしライダー	F			カーブで追い越しをかけてくる。二人乗りのライダーでどちらも首がない。いきなり消え、自分はカーブに突っ込む。	8
34		F	山道		黒い車が追いかけてくる。運転手の首がない。	7
35	コツコツばあさん	A+B	高速道路		上半身だけの老婆が肘をコツコツ鳴らして追いかける。 時速100キロ。追いつかれると死んでしまう。	8
36	ひじかけババア	A+B+C		大阪府難波	長い白髪、腰から下のない老婆。追いつかれると死ぬ。	8
37		A+B+C	トンネル	東京近郊	工事の際、事故死した老作業員の幽霊。 両腕を交差させながら走りかかってくる。	2
38	100キロばあちゃん	A+C	峠	北海道千歳市支笏湖	追い越されると事故にあう。	11
39	馬ばあさん	A+D		福島県	人面馬身の老婆。 車のライトを消し時速100キロ以上出すと出る。	2
40		B+C	高速道路	奈良県阪奈道路	胴から上だけの人間。肘を使って車を追いかける。	10

まとめちゃったよ！　エクセルって後ろから追いかけてくるものをまとめるためにできたソフトかもしれない。

三柴先生によると、いわゆる「学校の怪談」に出てくる「テケテケ」「パタパタ」「カシマレイコ」などと呼ばれるものに出てくる「追いかけてくる」連中も脚部欠如型らしい。

「コツコツばあさん」は、「上半身だけの老婆が肘をコツコツ鳴らして追いかける。時速100キロ。追いつかれると死んでしまう」と書いてあるんだけど、実際にどうやって死んだ人から証言を取ったのかは不明なところが味わい深い。

C　よつんばい型

よつんばいなのに速いのかよ！　というパターン。先生は「『よつんばい』が『脚部欠如』と結びつくように、その姿勢は獣を連想させる」と指摘している。

D　獣＋人型

「よつんばい」になった人間がどこか獣をイメージした格好をしたものだとすると、それと連続的に、牛と女とか、人面犬とか、人面猫とか。「馬ばあさん」などがこれにあたるらしい。「馬ばあさん」ってなんだよ。

E　乗り物型

カブに乗ったそば屋の出前とかがここに分類されるようだ。なにそれ、もはやこわくない。

このほかにも乗り物型はわりと物議を醸してしまいそうなものばかりだ。「三輪車小僧」、これはトラックを三輪車で追いかける幼児だそうである。捕まえられるのは中野《なかの》浩一《こういち》さんくらいしかいない。また、「スーツを着て自転車に乗った銀行員風のおじさん。全身血まみれ。時速１２０キロの車に追いつく」という「追いかけてくるもの」もいたらしいのだが、これは自転車こぎすぎで血が出たふつうのおじさんだったらどうしようと、読んでてドキドキしてしまった。助けを求めていたのかも……。とか、妄想が止まらない。落車した中野浩一さんだったら、あり得る話ではある。

F　首なしライダー型

バイクに人が乗ってるけど、首がない、というパターン。これがけっこうあるようなのだ。「伊香保温泉から数えて13番目のカーブ。アクセルを3回ぶかしすると首のないライダーが出て追いかけてくる」とか、もうファミコンの裏コマンドみたいになってる。むしろこれやってくださいといわれているようだ。これやって首なしライダー出てきたら「ボーナスステージ」と思っちゃう可能性大。

首なしライダーは、「乗り物型」でいいのではないか、と思った人もいるだろう。そこを先生は「「首なしライダー」型は、関東の限定された地域（奥多摩とされる場合が多い）で集中的に語られており、本稿で最重視している形体に関しても、やはり「乗り物」型とは別個のものと考えたほうがよい」と反論を退けている。

出現場所を、多かった順に並べると、

「トンネル」「山道」「高速道路」「峠」「カーブ」だそうだ。

「山道」と「高速道路」入れちゃったら、スピード出るところほぼ全部じゃないですか、といいたくなる気持ちをぐっとこらえていただきたい。この先生がおっしゃりたいのは、「トンネル」が一番多いのは、橋とかトンネルが、昔から「あの世」と「この世」が繋《つな》がる「境界」である、境目であるからだ、ということなのだ。

「常光徹は、トンネルを「他界とみなす意識があって、あの世からのメッセージを受信できる空間」と述べている」と引用し、重要な場所であることを強調している。

分析によると、「現実的に危険な場所が妖怪の出現場所として採択される場合があるのではないか」ということである。わざわざ細心の注意を払わなければいけない危険な場所に、「追いかけてくるもの」は出る、というのである。

妖怪にもトレンドがあった

ここからである。なぜこうした現代に伝わる「追いかけてくるもの」の話を集めて分析してきたのか。

先生は、昔の「追いかけてくるもの」と現代のそれが少し趣がちがうことに目をつけていたのだ。

たとえば、柳田國男《やなぎたくにお》の『妖怪名彙』で「追いかけてくるもの」の性格の妖怪《ようかい》は、「オクリスズメ」「オクリイヌ（オクリオオカミ）」「オクリイタチ」「ベトベトサン」「ビシャガツク」など、夜道で追いかけてきて、気配や鳴き声はするが、姿が見えないものが主流だったという。

しかし、こうしてみると、三柴先生は古来の妖怪が、現代では現代風にアレンジされて、音や気配から「すごく速いおばあさん」「首なしライダー」のように、「視覚的なもの」になってきている、ということを述べている。おもしろい考察である。ただ、これを知ったからなにか得になるのかというと、ぐうの音もでないのであるが、それでもこういうことがわかるのって楽しいことである。妖怪にもトレンドがあるのだ。時代に対応して姿を変えている。妖怪2・0みたいな。

だいたい、追いつかれると事故にあうか、死んでしまうというおそろしい「追いかけるもの」。

ではなぜ「おばあさん」が多いのか。おじいさんとかではなく、なぜおばあさんなのか。赤ちゃんとかライダーもたまにいるけど、それにしてもおばあさんが多い。

「追いかけてくるもの」の形体が主として女性形であることも指摘しておく必要がある。これを「追いかけてくるもの」が「口裂け女」などと同様に『イザナミ』や『山姥』などが現代にふさわしいように衣がえして再生してきたもの」とみなすべきなのか、あるいはもう少し心理的なアプローチを試みるべきなのか、予断を許さない。

許します。予断許しますけれども。そもそも「口裂け女」がイザナミや山姥の衣替えだったということを、共有していませんけども。

よく読むと、これは『妖怪学新考　妖怪からみる日本人の心』という本で指摘されていることだそうだ。

ただ、予断は(自分が)許さないんだろうけども、三柴先生はこういっているのである。

古来、「追いかけてくるもの」は女性であった。先述した「イザナミ」しかり、「安珍・清姫」の物語しかり。異形と化して追い来る女性というモチーフは数多い。こうした背景については様々な憶測が成り立つ。

なんか、ものすごくスケールの大きい話になって背筋が伸びそうだ。

そして続けてこう書いている。

現時点で筆者は、女性が猛スピードで走る姿に、ひとつの異形性をみていたのではないかと漠然と考える。

漠然と考えているだけだったのかよ。ちゃんと考えてほしい。ここまで風呂敷《ふろしき》広げたんなら、ちゃんと考えてほしい。

いずれ避けては通れぬ問題ではあるが、現時点では資料が乏しいこともあり、深い言及は次回にゆずりたい。

今回は浅かったの認めちゃってるよ。

いえいえ先生、充分楽しませてもらいましたよ。サラッと次回があることを予言していますけれども、
いちいちおおげさな、川口《かわぐち》探検隊の次回予告的な口調で、「追いかけてくるもの」の話のパターンを分析した立派な論文だ。

こんな時間の使い方している人がいると思うと、最高にたまらない。

三柴先生はこのあと、2012年に、「身体伝承の研究：「路傍の怪」にみる足元・背後」という論文をお書きになっていて、「背後」というテーマに挑んでいるので、さらなる進化をした模様だ。

こういったことに時間を費やしている人がいる。大変勇気づけられた論文だ。

みなさんのなかにも、猛スピードでなにかに追いかけられた経験がある、またはむしろ追いかけた側ですというおばあさま、ライダーの方がいらっしゃいましたら、教えてください。

三本目
徹底調査！
縄文時代の栗サイズ

吉川純子 (2011)「縄文時代におけるクリ果実の大きさの変化」
『植生史研究』第18巻−第2号

縄文時代の、クリ？

宇宙のことで何万光年と言われても想像がつかないし、何万年か後の未来と言われてもいまいちピンとこないが、これは昔のことだっておなじだ。

縄文時代は、諸説あるが、約1万5000年前から、約2300年前と言われる。これを、世紀に直すと、紀元前150世紀から紀元前3世紀頃ということになる。つまり、間の127世紀の時間のことである。現在が21世紀だから、縄文時代がいかに長い時代だったか、そしてこの20世紀だけでも、いや、この1世紀だけでも、人類が急激な進化を遂げたことも私たちは知っている。むしろそれが普通だから、あまり生活が変化しなかったのかもしれないこの縄文時代という時代のことを、私たちはなかなか想像できない。

そう考えていたところに出会った論文が、この「縄文時代におけるクリ果実の大きさの変化」という論文だ。長い長い縄文時代の間に、みなさんご存じのあの「クリ(栗)」の大きさがどれくらい変化したのか、ということを調査した研究だ。

なぜいま縄文時代の研究なのか、そしてなぜクリなのか、そしてクリの大きさがわかるとどうなるのか、一切わからない論文なのだが、そこがすがすがしい。私たちが考えたことがないことを考えてくれるのが、学者のおもしろいところだ。動機とか、いろいろすっ飛ばしてるところがヘンな論文たるゆえんだ。

意外とホットなクリ研究

しかし、どうやらこの縄文時代のクリの研究、けっこういろんな人が取り組んでいるようだ。読んでみると、なんでも縄文時代のいろんな遺跡から、クリの化石が出て来ているようなのだ。で、地域と年代によって、大きさなんかがいろいろ違うと、これまでの論文では指摘されてきたということらしい。指摘すんなよ、とか思わないでほしい。

新潟県の、加治《かじ》川《かわ》村青田《あおた》遺跡からは、縄文時代晩期末葉の堆積層から約2万2000個のクリ果皮が出土したんだとか。おいおい縄文人、毎日モンブランかよ。でも、お米がなかった時代、クリは日本人の主食級の、大きな食糧源だったというのが、さまざまな場所からの出土でわかってきた、と。そうか、稲作なかったもんな。

ただ、この論文の筆者の吉川先生には不満があった。読者のみなさん、大人がクリの大きさに不満を持ってんじゃねーよと思わないように。

従来の研究では、クリは縄文時代早期から末期にかけて、徐々に大きくなっている、という説が有力なのだが、

〝いや、末期でも小さいものはあるというデータもあるし、そもそもクリの大きさを

高さと幅だけでデータ化しているけれど、クリっていろんな形あるじゃない？
それじゃ、高さが低くて幅の広いクリは小さいの？　どうなの？　そこ不満！〃
ということで、今回のクリ研究に踏み切ったということらしい。世界のどこかでは、こうしたニッチな戦いが繰り広げられているのだ。あなたの知らない世界、いや、知らなくていい世界かもしれないが、人生で考えたことがなかったことが、いま考えられている。俄然《がぜん》、クリに興味でてきたでしょう！

論文ではこのあたり、こう表現されています。

「(クリの大きさを図にした先行研究の成果を引用し) しかしこの図を詳しく検討すると、東京都北区袋低地遺跡では縄文時代前期〜後期よりも縄文時代晩期の方が小さいことや、埼玉県伊奈町伊奈氏屋敷跡の縄文時代後期の果実がこの図の中で最も大きい位置にあり、京都市北白川遺跡の縄文時代晩期の果実が最も小さい位置にあるなど必ずしも時代の経過に伴ってクリが大きくなったとは見なせないデータもあり、それは各遺跡で計測されたクリの果実数が少ないことも要因のひとつと考えられる。また、この図ではクリの大きさが高さと幅の2つの軸で示されているため、高くて幅の狭いクリと低くて幅の広いクリの比較が困難であった」。

いやさすがにそこまでは無理だろう。何千年も前のクリの大きさを、高さと幅だけでも考慮して測定したのに、これ以上なにをしろと？

ただ、この文から匂ってくるのは、「数少ないサンプルしかないのであれば、だからこそもっと綿密に調査するべきだし、定説に基づかない例もあるから、それは〈例外〉で処理するのではなく、もう少しちゃんとやれば、納得のいく説明がつくのではないか」ということである。もちろん、クリひとつひとつにも個体差がある。大きいのと小さいのがあって、数が少ないなかにたまたま大きいのが紛れ込んでるとか、そういうこともあるかもしれない。だが数が少ないなかの個体差は、けっこう見逃せない。これが、何万もあるクリのなかから、大きいのが数パーセント、とかならわかるが、必ずそうではない「偏り」が出ているのだから、なにかあるはずなんだと、吉川先生は考えたわけです。

こういう、どうしたって直接確認しに行くことができない過去、未来、遠い宇宙について研究している人たちの想像力と探究心には、本当に頭がさがる。だって「考えても無駄じゃん」という周囲の声を聞いていながら、それでも考えずにはいられない好奇心をむき出しにしてくれている。率直にいって、カッコいいという言葉しかないのである。

元のクリを復元

ではどうやって元のクリの大きさを知るべきか。高さと幅以外に、どう計測すればいいのだろう。

やるとなれば本気になるのがこの吉川先生。いま、確認できる縄文時代のクリは、「炭化した子葉」、つまり、クリの実が焼けて炭になったものと、「炭化していない果皮」、焼いていないクリの皮だけなので、この2つをどうやって比較したらいいのか、考えた。焼いちゃったうえに乾燥したとなると、中身がかなり縮まった「クリの実」。そして焼いていない状態で化石となったクリの皮。両方を同列で語るためにはどうしたらいいか。

よし、復元だ！　復元しかない！

吉川先生はこう考えたのである。では、どうやって元の大きさのクリを再現できるだろうか。論文に書いてあった内容をまとめると、およそこんな感じである。

「まず、いま目の前にあるクリを測定する。そしてそれを焼いて炭にして、どれくらい縮んだか測って、元の大きさを推定しよう。この縮み具合がわかれば、縄文時代のクリの大きさも、炭になったものから復元できる！」。

という具合である。「炭化していない果実から炭化した子葉への炭化によるサイズ変化を検証した」というのである。

なんでしょう、この発想力と技術力。これができる、やろう！　と思った大人がいるのだ。縄文時代のクリ以外にものすごい使い道があるようにも思うのだが。大人の本気は素晴らしい。

しかし、吉川先生の不満はまだあった。それは、「クリにいろいろ形がありすぎて、クリの大きさを測定しにくい」ということだ。たぶん吉川先生は2000年代以降、もっともクリのことを考えた人ではないだろうか。これにも切り込んだわけである。

クリには縦長のものから、楕円形のものまであり、また分厚いものから薄いもの、重いもの、軽いもの、さまざまなものがある。

そもそも、クリとは

先日、ふとしたことからクリについて調べていたら、「栗全書」http://ne-koiki.jp/index.html.html　というサイトを発見した。ひがし美濃《みの》の栗をアピールするサイトで、クリの歴史や品種などについても触れられている。少し長くなるが引用したい。

日本では太古の昔、石器時代の縄文遺跡から炭化した栗が発掘された事から、九千年前から野生の栗を採集していた事がわかります。野生の栗は栽培種より甘味が強いですがとても小粒で収穫量も少ないので、当時はとても貴重なエネルギー源であった事がうかがえます。

栗の栽培が始まったのは今から約5千年以上前の縄文時代、青森県の三内丸山遺跡の発見により、当時の人々が栗の木を植林し安定的な食料としていた事が判明しました。出土された栗が野生種より大粒である事から、当時の人々はすでに相当な技術を持っていて、肥料を施しながら栽培していたのではないかと研究・推測されています。

また、遺跡集落の中心に発掘された、祭祀用の建物には栗の大木が使用されていました。人々に安定した食べ物を与えてくれる栗の木への感謝と畏敬の気持ちが、だんだん信仰の対象となっていったと考えられます。

栗を神聖視する事はやがて栗の木を祭事用品に用いたり、お供え物にしたり、節目となる年中行事に料理し、食べる事で厄除けをしたり、栗に縁起を担ぐ風潮へと発展しました。戦国時代には、保存食であった「かち栗」の栄養価や、「勝ち」につながる縁起の良さに戦国の武将が目を留め、栗の栽培を奨励し、出征する兵士に持たせ、志気を高める事に使われました。今日でも、季節行事や祭事に栗を食べ縁起を担ぐ風習が残っており、栗は人類の起源から現在に至るまで、私たちの生活に密着してきた親しみ深い果実です。

そうだったのか。だから吉川先生もクリについて研究していたのか。こういうことを最初に教えてくれないとわからないよ！　とはいえ、研究者にとって当たり前のことを書くスペースが雑誌掲載論文にはないから、仕方がないのだ。知識は常にアップデートされ続けている。私たちはそのことを知らずに、いきなり最新の「点」として論文を読んでしまうので、いままでなにがわかっているのかがわからないことがあるのだ。

ちなみに、このサイトによると、「発掘調査でわかった栗と人の密な関係」として、以下のように書かれていた。

三内丸山遺跡は、縄文人が長期間にわたって定住生活を営んでいた日本最大の集落跡です。江戸時代に発見されて以来の発掘調査で、いろんな事がわかっています。

出土した花粉分析の結果から、集落以前にあったナラ類やブナの林が、居住が始まると急激にクリ林にかわっています。これは人の手によってクリ林がつくられた事を示しています。また、廃棄されたクリの果皮や種子等が大量に発見され、クリが重要な食料であった事もわかります。さらに、建物の柱や道具、燃料としても多量に使用されており、この遺跡内で最も大きくシンボル的な建物は、直径約1mもの栗の巨木で組まれていました。三内丸山の人々にとってクリは重要な植物であった事がわかってきました。

なるほど。むいちゃった甘栗とか、駅とかで売ってる甘栗のイメージしかない我々にとって、クリは「古風なお菓子のひとつ」である。だが、本当はクリについて考えることは、現在の私たちにとって、米や杉を同時に考えるのとおなじくらい大事なことだったのだ。私たちの祖先の暮しにもっとも密着した植物、それがクリだったのである。

もちろん、品種もかなりある。また、2006年に発売された『一〇〇の素材と日本料理〈下巻〉野菜・肉篇』（柴田書店）によると、戦前に中国から持ち込まれたクリタマバチによって、昭和20年代には日本全土に存在した100種を超える品種の大半が消滅したそうだ。その後品種改良を経て、さらにクリタマバチの天敵を放ったことで、1970年代後半に被害がほぼなくなった。しかし、クリは基本的には日本全土にあった植物で、なおかつ生活にも密着した木材、さらに主食となる果実を作る植物として、この国では何千年も前からともに生きてきた、ありがたい存在なのであった。

品種の問題は差し置いても、クリの性質は大きくは変わらない。なぜならそれが「種」だからである。

大きさを測る基準を設定

そこで、吉川先生は復元に挑むことになるのだが、計測に関して突拍子もない斬新《ざんしん》なアイデアを考案したのだ。これがこの論文の肝である。

「よし、クリの大きさ指数」というものを作ろう！　そして、その指数を計算する計算式を作ろう！　と。

なんだよ「クリの大きさ指数」って。

この論文が掲載されているのは『植生史研究』という雑誌だ。もしかしたら農学とか植物史を研究するということには、数学的な素養も必要なのかもしれない。とはいえこの研究にしかおそらく使い道がないであろう、クリの大きさ指数、またそれを計算する計算式！　熱い、とにかく熱い！

先生は、山形県の小国町《おぐにまち》の管理クリ林からとってきた289個のクリを、食べずに、高さと幅、生の重さを計測して、どの形のクリでもだいたい通用する、「クリの大きさ指数」という計算式を編み出したのだった。食べたかっただろうに。

「洗濯指数」が天気予報に登場したときは驚きだったが、あれはまだ「今日洗濯しようかどうしようか」という人の役にたっている。しかしこの「クリの大きさ指数」の役に立たなさったらない。でも、吉川先生には必要なのだ。ちなみに、この指数の計算式は、$\sqrt{}$高さ×幅、に重さの立方根、という計算式である。

計算によってわかったことが、こう記述されている。読者のみなさんは理解できなくてもいいので、その言葉の連なりのクレイジーなケミストリーを味わっていただきたい。

生果実の高さと炭化子葉の高さの関係は $y = 0.76x - 1.85$（yは炭化子葉、xは果実、$n = 73$）の直線で回帰することができ、相関係数は R = 0.93 となった。炭化子葉の幅は生果実の幅の 86.8 − 51.8％（平均 70.7 ± 5.7％）であり、果実の幅と炭化子葉の幅の関係は $y = 0.86x - 4.86$（yは炭化子葉、xは果実、$n = 73$）の直線で回帰することができ、相関係数は R = 0.97 であった。このように生の果実と炭化子葉の相関係数は非常に高い値であることから、これらの回帰直線をもとに炭化子葉から生の果実のサイズを復元することが可能であると判断した。

論文のタイトルからは想像だにしなかったこのようなマッドな文章を読んだだけで

ゾクゾクする。そうなのだ。もはや考古学などは科学分析が主流なので、このような計算は常識としてできるはずなのである。それはわかってる。わかっているんだけど、これが縄文時代のクリ果実の大きさについての記述なんだと思うと、なんかにやにやしてしまうのである。この人、興奮してるなあ、いいよ〜、もっとやって〜、と、グラビアを撮影するカメラマンのような気持ちになる。

結論、復元されたクリの大きさ

一般的に、いまのクリというのは品種改良も施されていて、食用のものはけっこう大きい。だが、縄文時代のクリの大きさは、いままで炭になった状態でみつかったクリの実で、縄文前期は大きいもので16ミリ×17ミリ。つまり、1・6センチ×1・7センチくらい。かなり小さいことがわかる。これは有名な、青森の三内丸山《さんないまるやま》遺跡のものだ。だが、これが、復元して計測した結果、23ミリ×25ミリ、2・3センチ×2・5センチくらいの、そこそこ大きなものだということがこの計算式によって判明した。

ちなみに、いまのクリのサイズは、S、M、L、2L、3Lの5分類が通例のようだ。3L：39ミリ以上、2L：35〜39ミリ、L：32〜35ミリ、M：29〜32ミリ、S：29ミリ未満。縄文前期は、いまのクリだとSに入る大きさだ。

だが、いままで発見されている縄文時代のクリ、これを復元したところ、中期後半の福島県和台《わだい》遺跡のものは、34・7ミリ×33・8ミリ、つまり、いまのクリでもLに入る大きさだというのだ。復元前と復元後で、およそ1センチ近く大きさが違うことがわかったのである。数千年前の人間が見ていたものと、ほぼおなじものを私たちは見ているということになる。なんだろう、この不思議な気持ち。

そして、クリの大きさ指数で計算してみると、縄文時代のクリの大きさは、増減こそあるものの、時間が経つとともに右肩あがりに大きくなっていることがわかった。なんだよ、それじゃこれまでの定説と変わらないじゃないか！　なんだったんだこの「クリの大きさ指数」は。これまでの説を裏付けただけだったの⁉

ただ、後期にもそれなりに小さいものも相変わらずたくさんあって、実は縄文時代の人はいろいろな大きさのクリを食べていたのではないか、というのが吉川先生の説なのだ。

炭になったクリが発見されたのは、神様にお供えする場所のようなところが多かったため、大きいものを選んで儀式に使っていて、それがいまわれわれの目にすることができる化石という形で残っているのではないかと。見つかって残っているのは、祭事に使われているものだから、それらを「当時の人たちが食べていたクリ」と同様に考えてはいけない、というのが、吉川先生がどうしてもいいたかったことらしい。

表1　縄文時代の遺跡から出土したクリ果皮サイズ
Table 1 Measurement of fruits of *Castanea crenata* from Jomon sites

時　期	遺　跡	試料数	高さ (mm)		幅 (mm)	
			最大値－最小値	平均±標準偏差	最大値－最小値	平均±標準偏差
前期中葉	三内丸山遺跡　第6鉄塔地区VI層	15	27.0 – 12.0	19.0 ± 4.9	37.0 – 13.0	24.5 ± 7.4
後期	弁天池低湿地遺跡	6	33.0 – 21.0	25.3 ± 4.2	31.0 – 21.6	25.1 ± 3.4
晩期前葉	野地遺跡	33	36.1 – 22.0	28.9 ± 4.7	46.7 – 21.2	29.1 ± 5.9
晩期	米泉遺跡	8	34.4 – 25.2	29.6 ± 3.2	36.0 – 26.6	31.7 ± 3.6
晩期末葉	青田遺跡	46	40.4 – 18.0	30.4 ± 6.1	56.8 – 18.3	33.5 ± 8.3

表2　縄文時代の遺跡から出土したクリ炭化子葉サイズ
Table 2 Measurement of carbonized cotyledons of *Castanea crenata* from Jomon sites

時　期	遺　跡	試料数	高さ (mm)		幅 (mm)	
			最大値－最小値	平均±標準偏差	最大値－最小値	平均±標準偏差
前期中葉	三内丸山遺跡　第6鉄塔区VI層	6	16.0 – 10.0	12.4 ± 2.7	17.0 – 11.8	14.2 ± 2.1
前期末葉	三内丸山遺跡　第200号フラスコ状土坑	25	15.2 – 10.2	13.1 ± 1.4	20.8 – 10.7	16.5 ± 2.6
中期後半	大船C遺跡 H–95 住居跡	84	17.0 – 7.0	12.6 ± 1.9	19.0 – 7.0	13.9 ± 2.2
中期後半	和台遺跡 183号住居跡	18	24.5 – 15.5	19.2 ± 2.1	24.2 – 14.8	19.2 ± 2.9
晩期前葉	下叶水遺跡	85	21.7 – 2.4	14.9 ± 3.2	22.3 – 2.0	13.5 ± 3.4

表3　縄文時代の遺跡から出土した炭化子葉から復元したクリ果皮サイズ
Table 3 Restored size of fruits by carbonized cotyledons of *Castanea crenata* from Jomon sites.

時　期	遺　跡	高さ (mm)		幅 (mm)	
		最大値－最小値	平均±標準偏差	最大値－最小値	平均±標準偏差
前期中葉	三内丸山遺跡　第6鉄塔区VI層	23.5 – 15.6	18.8 ± 3.5	25.4 – 19.4	22.1 ± 2.4
前期末葉	三内丸山遺跡　第200号フラスコ型土坑	22.4 – 15.9	19.7 ± 1.8	29.8 – 18.1	24.2 ± 3.1
中期後半	大船C遺跡 H–95 住居跡	24.8 – 11.6	19.0 ± 2.5	27.7 – 13.8	21.8 ± 2.6
中期後半	和台遺跡 183号住居跡	34.7 – 22.8	27.7 ± 2.8	33.8 – 22.9	27.9 ± 3.3
晩期前葉	下叶水遺跡	31.0 – 5.6	22.0 ± 4.3	31.6 – 8.0	21.3 ± 4.0

表4　縄文時代の遺跡から出土したクリ果実および復元されたクリ果実から換算した大きさ指数（√（高さ×幅））
Table 4 The mass index converted by fossil fruits and restored fruits of *Castanea crenata* from the Jomon sites.

時　期	遺　跡	試料数	最大値	最小値	平均±標準偏差
早期	粟津湖底遺跡	8	19.9	14.2	17.9 ± 7.9
前期	鳥浜貝塚	17	26.9	17.9	22.2 ±10.5
前期中葉・末葉	三内丸山遺跡	46	27.9	13.9	21.4 ± 3.2
中期後半	大船C遺跡	84	25.5	14.7	20.3 ± 2.3
中期後半	和台遺跡	18	34.2	23.5	27.8 ± 2.8
後期	弁天池低湿地遺跡	6	29.1	21.3	25.1 ± 3.2
晩期前葉	野地遺跡	33	40.1	21.9	28.9 ± 4.7
晩期	米泉遺跡	8	34.8	26.6	30.6 ± 3.2
晩期前葉	下叶水遺跡	85	31.3	6.7	21.6 ± 3.9
晩期末葉	青田遺跡	63	46.4	18.3	30.7 ± 6.4

クリ、炭化したクリ、復元したクリ、大きさ指数の表。こんな理系的な作業までできるのに、クリの大きさに活かしてしまったか……。尊敬しかない。

これは新説だが、ある程度説得力がある。先ほども紹介したように、クリが栽培されるようになり、豊富にとれるようになった縄文後期は、たしかに大きいクリが取れるようになった。そしてそれらが祭事に選ばれた。だが、多くの人たちは、これまで通り小さいクリを食べていたのかもしれない。大きいクリもできたけど、それはその時代のクリすべての大きさではなかったはずだ。

考えてみれば、いま現在にもりんごやみかんといった果物には大きさの差はある。だが、特別なときに使うものは、出来が良くて大きなものになるだろう。もし何千年後かに、現代のりんごやみかんが発見されたら、「この時代のみかんはこれくらいの大きさ」と、たまたま見つかった大きいみかんを、現代を代表するみかんだと思われても困るだろう。いやいや、小さくても甘いやつとか、いろいろあるんだよ、と。こういう想像力が働くところも、学者のすごいところだ。

縄文時代の人たちは、大きいクリだけではなく、小さいクリも食べていた、という結論。

なんだその結論！　オレたちだって小さいみかんから大きいみかんまで食べるわ！　それとおなじだわ！

（補足）古代の森研究舎

この吉川先生の所属先が、「古代の森研究舎」というところだったので、調べてみたところ、おそらく旦那《だんな》さまとみられる吉川昌伸先生も、縄文時代のクリの研究をなさっているようだ。

古代の植物や自然環境について、ストイックに研究なさっている組織のよう。

こういう生き方も、あるんですね。

四本目
かぐや姫のおじいさんは何歳か

東﨑雅樹(2012)「竹取の翁の年齢について」
神戸学院大学人文学部 卒業論文

古典研究はロックである

かぐや姫をみつけたおじいさんの年齢はいったい何歳か。

そんなことを真面目に研究した論文が、この世には存在するのだ。

日本の古典文学の研究者というのが確実に存在することを、我々は忘れがちだ。何百年も前の時代に生きた人が書いたもの、詠んだ歌、そういうものの意味を知ろうとすることのなにが面白いのか。そんなことの研究に人生の大事な時間を使っている人がいるということを、我々はにわかに信じられない。

だが、確実にいるのだ。そういう人種が確実に、どこの大学の文学部にもいる。「それがわかって、なんの役に立つの？」なんて質問は、さんざんされ倒してきているであろう人たち。だが、どうしようもなく作品に惹《ひ》き付けられて考えずにはいられない人種。最高にロックな存在である。

研究には、「この世界とはなにか」という研究と、「人間とはなにか」という研究の2種類がある。

文学は後者であることが多いが、古典作品に書かれていることは、その時代の風景だったり、人々の生活、関心事だったりする。つまり、「この世界とはなにか」の歴史の研究でもあるのだ。

想像してほしい。スマホもネットも存在せず、人口もいまほど多くなく、車や電車もなく、移動は馬、遠出をするなんてかなりの労力であった時代。そんな時代の関心事は、恋愛、家族の成長、そして季節の美しさ。そんなところだ。冷房も暖房もない。テレビもラジオもない。音楽も生演奏しかないし、料理もすべて手作りだ。

当然、印刷技術もない時代。だけれど、人は文字を書き、読む技術を身に着けて、知識や感動を得ていた。そんなとき、人づてに筆で書き写されて読み継がれるフィクションの物語がある。これがどれだけ彼らの好奇心をくすぐったことか。『源氏物語』しかり、『今昔物語集』しかり『とりかへばや物語』しかり。

『源氏物語』に、「物語の出で来はじめの祖《おや》」と書かれている物語がある。それが『竹取物語』だ。そしてこの日本最古の物語を知らぬ日本人はまずいない。ある翁《おきな》が、光輝く竹の中から女の子を見つけ出し、育てるという、いわゆる「かぐや姫」の物語である。

そしてこの論文の主人公は、そんな『竹取物語』のおじいさん、翁。アニメ映画『かぐや姫の物語』で地井武男《ちいたけお》さんが声をあてたあの翁。正確には、翁讃岐造《さぬきのみやつこ》の年齢について、本気で考えたという、知ったところで世界はなにも変わらないかもしれない素敵な研究。しかもこの論文もまた大学の「卒業論文」だ。青春時代の、一回きりの研究を竹取の翁の年齢に費やしたという最高にエッジが立った論文である。

おじいさんの年齢の謎

「一、はじめに」にはこう書かれている。

(竹取物語は=著者注)多くの人に馴染みの深い作品である。国文学における作品研究にも、相当の蓄積がある。しかし、未だ決着を見ない問題も多い。本稿を執筆するにあたり注目したものは、翁讃岐造の年齢についてである。

なんと、すでに研究者の間ではかなり議論され、まだ決着を見ていない問題、それがあのじいさんの年齢なのであった。すげー。

しかも、この問題はもう半世紀以上も前から議論されているそうだ。国文学っていうのは、誠にカッコいい。時間の使い方が豪快だ。

なぜ議論になるのかというと、

・物語序盤「翁は、もう70過ぎた、今日とも明日とも知れない状態だ」といって、

かぐや姫に結婚をすすめる。ところが、
・物語最後　かぐや姫が文字通り昇天してしまったシーンでは、「翁は、実際は50くらいだけど、物思いにひたりまくって、老人に見えた」と書かれている。
ちょっと待って、70なの？　50なの？　というところが、争点なのである。どちらの叙述を信じるか。

考え方のひとつとして、何人もが書き写しているかもしれないし、最初と最後で完成した時期がちがうのかもしれないし、たまたま出てきちゃった矛盾なんじゃないか、というものがある。特に印刷技術がなかった時代の本は、こういうことがよく起こる。後年書き写した人がアドリブいれちゃったりとか。だから現存するどの本を正規のものにするのかでもめたりもするのだ。

ただ一方で、そうじゃない、絶対意図があるはずだ！　という考え方も紹介されている。

１９５６年、吉池浩さんという人が「竹取の翁の年齢と物語の構成」という論文（すでにこういうものがあったことにビビる）に、こう書いている。

「これだけの筆力をもった作者が、あれ程整然たる着想を持って、相当な心構へのもとに書いたと思はれるこの竹取物語、しかもこのやうに短い物語の中で、重要な登場人物たる翁の年齢について、不覚にも錯誤を犯したり、または矛盾と知りつつ、或るいはつい筆がすべって、その場だけのつじつまを合はせて強調するために、敢へてあのやうな不都合な叙述をするなどといふようなことがあるであらうか。私は、必ずや作者の深い意図が、そこに隠されてゐると、考えざるを得ないのである。(中略)つまどいの段で、「翁、年七十に余りぬ」と言ったのも、結婚を勧める翁の心情を吐露させるために、作者が意識的に翁に語らせた嘘だったのである」。

つまり、70歳というのは翁の自己申告という形で出しているから、こいつは嘘をいっているのだ、という考え方だ。

後年の人のアドリブ説、作者の意図説、どちらも説得力がある。ただし、これ以上は「状況証拠」で語るだけになる。こうして平行線の議論が続いたというわけだ。

が。この議論に決着をつけるべく、全文にわたって「翁の言動」に着目してみて彼の性格をとらえて、実際何歳だったんだよってことを徹底的に調べてやろうじゃないか、という「翁プロファイリング」をしたのが、この論文なのだ。こんなことができるなら、現代で探偵でもなんでもして生きていけるじゃないか、とは思わないで下さい。

プロファイリング1　翁の性格

たとえば、翁の性格について。

物語冒頭で「今日とも明日とも知れない命」といっていたのに、結局かぐや姫が月にかえるまでの年月、ピンピンしている。このことから、翁はけっこう話を盛る人なのでは？　という疑念が生じる。それともたまたま思いのほか長生きしたということなんだろうか。

次に、蓬萊《ほうらい》の玉の枝をもってきた王子をみると、姫に「早く結婚しよう！」とすすめ、それが偽物だとわかると「さっさと返しちゃえそれ」という。こうした言動に著者の東崎さんは容赦ない。「軽率で物事を先まで考えていない」人物だと評している。

また、姫が帝《みかど》から求婚された際、翁には爵位をやると言われると、翁はかぐや姫を説得する。このことから「目先の利益に率直な感情」を持つ人物だといえる。

さらに、爵位どうのとかじゃなく、帝と結婚するくらいなら死にます、と姫に言われると、この翁は強引に説得するかと思いきや、そんなんだったら意味ない、と思うのだ。このことからは翁の「姫を思う心の篤《あつ》さ」があるとする。

また、かぐや姫を見つけたときは、3寸＝9センチくらいだったのに対し、帰ってしまうときに回想して「あの子は最初、菜種の大きさ」＝数ミリだったといっている。つまり、翁は「大きさを誇張している」人物だということができる。東崎さんはこの部分、ツッコミがさらに厳しい。「翁は目が悪く、大きさの認識が分からなかったとする場合、菜種の大きさなら竹を切ったとして見えるだろうか」、「また、わずか数

㎜のかぐや姫を女の子と断定できたであろうか」、至極ごもっともです、はい。この容赦ない追及力。東崎さん、国会議員とか検事さんとかになればいいのにとか思わないように。

プロファイリング２　かぐや姫を育てた年月

次に検証するのは、翁が姫を育てた年月だ。これがわかれば、翁の年齢を推定できるのではないかというロジックだ。原作では、かぐや姫を育てた年月について、翁は月の王に「二十余年」といっている。

本当なんだろうか？　前にも検証した翁の性格上、こいつは話を盛る癖がある。実際はどれくらいの期間だったのか。東崎さん、真面目に計算してみた。

まず、かぐや姫は竹から見つけて3ヶ月で、成人女性と同程度の見た目に成長したとされている。この当時だと成人女性は13歳程度。

また、求婚者に対して、姫が難題を出すまでの時間に、「霜月師走の降り凍り、水無月の照りはたたくも」から、年越して、長く見積もっても2年かかっていると結論づけた。難題とは、私と結婚したかったら「仏の御石の鉢」、「蓬萊の玉の枝（根が銀、茎が金、実が真珠の木の枝）」、「火鼠の裘《かわごろも》（焼いても燃えない布）」、「龍の首の珠」、「燕の産んだ子安貝」を持ってきて下さい、とそれぞれの求婚者に姫が求めた例のやつだ。

で、その無理難題をいいつけられた5人の求婚者が難題に挑戦し終わるのに3年かかっている。

さらに、姫が帝から迫られて、最終的に月に昇天するまでの期間がおよそ3年。

どう見積もっても、3ヶ月＋2年＋3年＋3年、計「8年3ヶ月」なのである。

これを二十余年というのは、爺さんあまりに盛りすぎでは⁉　このことから、東﨑さんは

「今日とも明日とも知らない」はずの命が少なくとも八年以上過ぎ、かぐや姫を育てた期間（最短八年三ヶ月）を「二十年以上」と言っていることから、やはり翁は誇張する人物である。

といい切った。「やはり」ってところに、前々から怪しいとは思っていたが、というニュアンスが感じ取れる。老人相手に一分の隙も与えない追い込みっぷり。

ただし、このウソは話を盛ったわけではなく、月の王に、姫が普通の人間であることを強調したかったのか、ここはまだ議論の余地があるようだ。とはいえ、ウソをついていることに変わりはない。

時間の計算と翁の言動を関連づけて考察するという、探偵ばりの探究心で真実に近づこうとするこの姿勢。原作を読み込んで、先行研究を読み込んで、論点を整理して自説を展開する。

一見シンプルな研究ほど、そうした下準備にかけた時間がにおい立ってくる。やったなあ、東﨑さん。まわりの学生が就職活動で適当な卒論書いているときに、読み込んだなあ、翁の年齢！

結論、翁の年齢は？

これらのことを総合すると、当時の『竹取物語』の文章に会話であることを示す「」(カギ括弧)はないものの、「もう七十を過ぎて、今日とも明日とも知れない」とは、翁本人が、姫に話を盛っていっているセリフで、後半、「鬚《ひげ》も白く、腰もかがまって、目もただれ、五十くらいの翁が老人に見えた」、という記述は「見えた」(原文の「見ゆ」は客観描写に出てくると論じている)と、第三者の目撃情報があることから、地の文で「五十くらい」といわれているので、実際はそのくらいだと考えるのが、妥当なのではないか、という考えである。

ということは、長く見積もって、育てた8年3ヶ月前は、42歳とか43歳とか。わ、若い！

翁はそんな年齢のときに「もう七十を過ぎて」とか姫をだましたということになる。

それって、ずいぶん無理がないか？

と、思うのは、私たちが現代人だからである。現在の40歳と1000年以上前の40歳では全然ちがうのだ。現代でも「おじさん」は完成するのが早いけど、昔はもっと早かったはずだ。たぶん20歳超えたら「おじさん」で、それ以降はずっとおじさん、40歳からはおじいさんだった。

当時は、40歳から長寿の祝いがあったほどだ。信長《のぶなが》だって「人間五十年」とうたって舞ったではないか。42歳の時点で「翁」といわれても、不思議じゃないのが平安時代である。

つまり、原文が間違えているのではなく、緻密《ちみつ》に計算されていた、というのが東崎さんの出した結論だが、みなさんはいかがお考えだろうか。

40代に入った私は、正直この結論にドン引きしてしまい、まさかすでに翁だったとは……とショックを受けたのだが、それにしても「翁、サイテー」と怒ってしまいそうになる。翁がそんなようでは、かぐや姫に居場所がなくなって当然ではないか。

と、思うということは、この物語が良くできているということなのだろう。

厄年でかぐや姫に旅立たれた翁。結果的に、老けてしまったわけだが、自業自得である。

今回は「竹取の翁」という、だれもが知っているあのじいさんの年齢という古典のなかでも比較的ポップな題材を扱った論文だったが、これが書けた大学生の東﨑さんはすごい。指導した先生も、さぞうれしかったことだろう。

古典文学の魅力はこれだけにとどまらない。和歌や日記、そういったものから、当時の人たちがなにを考え、どういう気持ちを込めたのか、それを大の大人たちが、かなり真面目にこうじゃないか、ああじゃないかと考えているのだ。そんなに昔の人のことじゃなくて、いま隣にいる私のことを考えて、と研究者の奥さんたちがいっているかもしれないが、1000年前の人が考えていたことを受け取るのは、1000光年先の宇宙人が考えていることをキャッチするくらい、ロマンのあることだ。

『竹取物語』（『竹取の翁』『かぐや姫の物語』など平安時代でも呼称のバリエーションが多い）の作者は不明である。だが、こうして21世紀になってもそこにつづられた言葉はここまで人を突き動かしている。

そしてこの論文を読み終えたとき、最高に気持ちよく好奇心を刺激されて、とても晴れやかな気持ちでこう叫びたくなる。「だからなんだよ」と。

これが古典研究の最高の醍醐味だ。役に立つとか立たないとか、そういう基準で生きている自分があさましく思えてくる。現在の常識などではかってはいけない。世の中でもっともピュアな研究者は、古典の研究者だと思う。

五本目 大人が本気でカブトムシ観察

佐々木正人(2011)「「起き上がるカブトムシ」の観察 ―環境-行為系の創発」『質的心理学研究』第710号

大人の本気をカブトムシに

カブトムシの観察といえば、小学生の夏休みの自由研究の定番のように思うかもしれないが、この論文は、大人が本気でカブトムシの観察をしたらどうなるかがわかる論文だ。しかもただの大人ではない。東京大学の大人だ。

どういう論文なのか。要約が冒頭に書いてあるので、引用したいと思う。

床の上に仰向けに置いたカブトムシが、様々な物など、周囲の性質を使って起き上がる過程を観察した。

私は最初読んだときに目を疑ったが、この人は本気のようだ。論文のタイトルだけがキャッチーで、中身を読んだらオーソドックスな場合はよくあるが、この論文は中身もクールだ。さらっと「床の上に仰向《あおむ》けに置いたカブトムシが」と書いている。「みなさんよくご存じだと思いますけどほら、カブトムシって仰向けに置きますでしょ？」みたいなノリで。WHAT？ 仰向けに置く？

仰向けに置いたカブトムシがどうやって起き上がるかを、ただただ観察したというのだ。仰向けになったプロレスラーがどうやって起きるかを見つめるだけでもけっこうしんどいのに、カブトムシですと？

しかも、ただ仰向けに置くのではない。環境を変えて仰向けにするのである。環境というのは、そばになにかを置いて変化をつける、ということだ。筆者はこれを「周囲の性質」と呼ぶ。周囲の性質として、バリエーションを多数用意したそうだ。

床の溝、タオル、うちわ、鍋敷《なべしき》、チラシ、爪楊枝《つまようじ》、リボン（細、太）、ビニルヒモ、ティッシュ、Tシャツ、シソの葉、メモ用紙、割り箸《ばし》、フィルムの蓋《ふた》、の近くにカブトムシを仰向けに置く。合計15種類の「周囲の性質」で、ただひたすらカブトムシが起き上がるのを観察する。どうです？　この超クール&超クレイジーな研究。鍋敷にカブトムシとか、もうシュールとしか言いようがない。リボン（細、太）、ビニルヒモ、ティッシュ、Tシャツってもう遠足の準備だし。「シソの葉」ってどういうことなのよと、もうツッコミどころしかない。

ちなみに、この観察対象となったカブトムシはメスだそうです。あんまりツノを使ってどうのというのができないほうがいいからだろうか。

論文ではこのカブトムシを捕獲した経緯まで丁寧に書いている。「1996年夏、筆者の住居前の路上にて捕獲（埼玉県入間市）。1週間飼育箱にて飼った」捕獲って、それ拾ったんじゃないか！　てっきり研究室で孵化《ふか》させたとか、研究用に買ったりしたのかと思ったら、住居前の路上って。

で、実際の観察は、「午前は動きが鈍かったので、午後遅くと夜に、ビデオ撮影した」と書いてある。どうでもいいけど、動きの鈍さを観察しているのだから、実際は午前中から観察しているじゃないか。

あと、捕獲したのが96年で、この論文が発表されたのが2011年だから、実験から発表まで、苦節15年かかっているじゃないか。なんでこんなに論文にするのに時間がかかったのか。論文の査読に時間がかかったのか、文字にする機会を失っていたのか、はたまた筆者が病気になったのか、それともたまたま昔撮影したカブトムシ動画を研究に利用したのか。

想像しだしたらキリがないが、このへんのことはナゾである。ただ、自分が筆者の佐々木さんの親だったら、息子が夜な夜なになにをやっているのか、とても心配したと思う。

カブトムシのグラビア

そして、この論文にはそんないろんな「周囲の性質」の変化にもかかわらず、起き上がろうとする勇ましいカブトムシちゃん（メスだから、カブトムシくんではなかった！）の姿があますところなくグラビアとして掲載されている。皆様にもぜひ堪能《たんのう》していただきたい。

図6　爪楊枝

図4　鍋敷

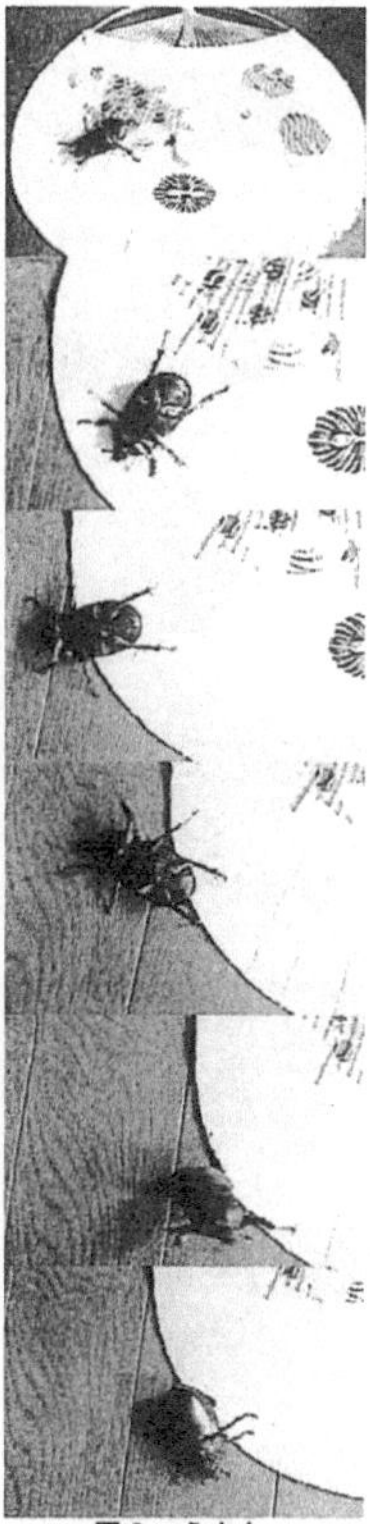

図3　うちわ

ファンも喜ぶカブトムシグラビアの数々。いろんなシチュエーションでいろんな角度から、カブトムシちゃんをもてあそぶ。

図12　シソの葉

図10　ティッシュ

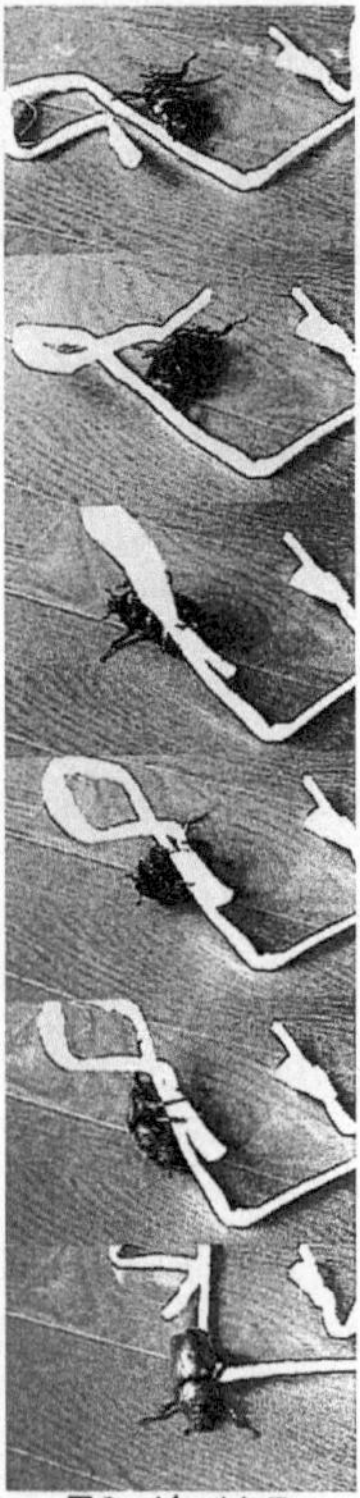

図9　ビニルヒモ

シソの葉とかティッシュとか、もはや大喜利である。なんのプレイだよ。

こうして、ひとつひとつ「周囲の性質」を変えてカブトムシの起き上がろうとする努力をじっと見つめる研究なのだが、驚くべきは筆者の佐々木さんの描写力である。

たとえば、いわゆるフローリングの「床」に置いた場合。その起き上がる感じを緻《ち》密《みつ》に観察していて、次のように記述しているのだ。

虫の両前脚は、頭の前方にあるものをつかむように対称に、両中脚は左右に同時に下げ開くように両後脚は非対称にキックするように動く。

もうなにいってんだかわかんないよ。前脚、中脚、後脚がそれぞれ2本で計6本というのは知識としては知ってはいても、文字だけで読むとバラバラに想像することになるから、なかなか映像としてまとまらない。でも、大人のたしなみとして、カブトムシの起き上がり方を描写するとしたらここまで書き上げたいものです。虫の動きも、大人が描写するとこうなるんだということを、全国の小学生に知ってもらいたいですね。

後脚が動いて床とこすれた。十分な摩擦が得られず後脚はカリカリと音を立ててわずかな移動が生じた。右後脚が、幅と深さが1ミリメートル程度の床の溝にひっかかると、そこに力を入れて押した。

しかし力余って右後脚は溝からはずれた。

すごくドラマチックに伝えてくれているような気がするのだが、そうですかという感想しか出てこない。とはいえこの語彙《ごい》力と表現力にはひたすらビビるだけである。「床の溝」編は、34秒動きを観察して、カブトムシが起き上がれなかったという結果を記述している。観察にどれくらいの時間がかかったかを、必ず文章の最後に秒数で書いてくれているのだ。「お疲れ様でした」というほかない。これが、あと14パターン続きます。ちなみに、全パターン、カブトムシの起き上がりショット付き。欲しい写真がある場合は番号をメモして提出してくださいね。

起き上がり、条件を変えて

2番目の実験は、周囲の性質が「タオル」のとき。タオルがそばにあると、カブトムシは3秒で起き上がれるという、驚異の結果を残した。瞬殺！　ま、足をひっかけて回転しやすいってことなんですが。佐々木さんはこのような感想を持たれていたので紹介しよう。

いったん絡みついた布は容易に脚から離れるが、それがどのように行われているかは、はずす動きが細かすぎて、よく見ていてもわからなかった。

わかんねーのかよ！　これだけよく見ててもわかんねーのかよ！

では、この佐々木さんの描写力が炸裂《さくれつ》している、5番目の実験「チラシ」の項目を引用しよう。チラシの上に仰向けにしたカブトムシを置いて、観察した文章だ。想像しにくいかもしれないが、想像していただきたい。

数ページの厚さの新聞折り込みチラシがふたつに折りたたまれた上に虫が置かれた。図の上部方向が折り目で、そこは丸まり、盛り上がっているので、紙面にはわずかな傾斜がある。虫は後脚を後ろに、同時あるいは交互に押し出し、方向を変えながら紙面を上へと登っていった。紙の傾斜がもっとも大きいところにさしかかると頭部を起こす動きが繰り返し見られた。この頭部起こしで姿勢を転換しようとしているようだったが、それを可能にするには傾斜は十分ではなく、結局虫は傾斜のある部分を横断し紙面と床の縁まで到達した。そのままの勢いで紙面から床面に出たが、全身が紙面から出ると中・後脚の動きが大きく変化した。

まず中・後脚は内側に抱え込むように曲げられ、次いで後脚は交互にゆっくりと下から上へ何かをすくい上げるような動きを行った。すくう動きをする左後脚先端がすぐにチラシの縁に引っかかり、そこを支点にして全身が大きく回り、姿勢が転換した。移動と探索に比較的長い時間を要した。

虫は下に広がる面の傾斜や、それが他の面に変わったことを知覚している。面の傾斜部を利用して起き上がろうとする。そして、それら起き上がりにかかわる

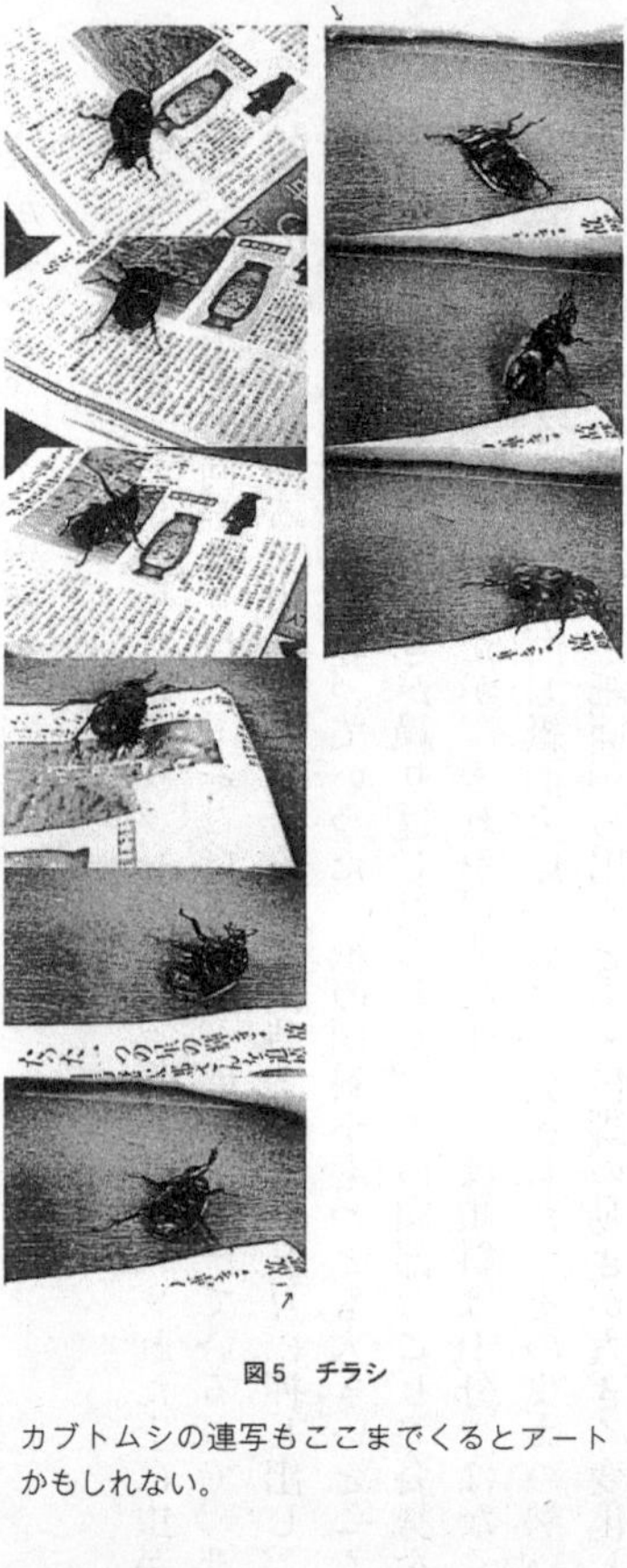

図5　チラシ

カブトムシの連写もここまでくるとアートかもしれない。

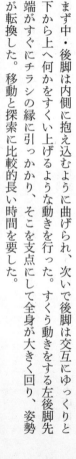

周囲の性質に応じた動きを体部の分節や脚が行う。(2分56秒)

これは新しい文学なのだろうか。カブトムシちゃんを一言「虫」という愛のない言葉で片づけて、あくまで中立な視点で動きを見つめているが、それでも「虫」の意図を感じ取らずにはいられない佐々木さんの描写。しかも2分56秒も見つめてたのかよ。カップ麵《めん》できちゃうよ。ウルトラマンだったら余裕で地球を救える時間に、この人はなにをやっていたのだろう。チラシの置き方とか傾斜とか、すべてこの人のさじ加減ひとつだと思うのだが、「虫」は移動と探索を繰り返し、助かる術《すべ》を模索し続ける。箱庭でもがく虫をあざ笑う恐怖の創造主のように思えてくる。

ミクロな世界の描写からはじまり、主人公がコーヒーを飲む、みたいな流れの小説だったらフランスとかにありそうなのだが、この論文の主人公はカブトムシだ。フランツ・カフカの『変身』という小説は、グレゴール・ザムザという青年がある日「虫」に変身してしまう小説だが、この論文で扱っている「虫」はそういう、なにかの象徴でもなんでもない。単なるカブトムシなのだ。

注目！　シソの葉

すべての実験での観察記録を紹介したいのだが、それは論文を直接読む方の楽しみにとっておくとして、気になる12番目の実験「シソの葉」の項を紹介したい。相変わらず、カブトムシの横にモノを置くところから観察スタート。「仰向けにされた虫の左横に一枚のシソの葉が置かれた」、置かれたっていってるけど、置いたの佐々木さん本人だからね。なぜか中立的であろうとしているけど、バレてんだから「置いた」でいいと思うのだが。最初、カブトムシはシソの葉を6本の脚で抱え込み、身体を左右に揺らして起き上がろうと試みるも失敗。ところが、葉の「柄」の部分を身体から離したほうが勢いがつくことをなんとなく理解していく。

はじめ葉は束ねるようにたたみ込んで抱えられ、その状態で左右へと揺らされた。つぎに葉柄部が身体から遠ざけられたが、すると遠心力が増し、姿勢が転換した。葉を抱えての起き上がりには、虫の背の形が、回転に強い勢いをもたらす曲面であることも関与していた。身体の形状、抱えた物と身体との配置（重心の位置）、そしてこの2つの複合を意味あるものにする動き（左右回転）が一体となって起き上がりが生じた。

はじめ、葉を持って全身を左へ揺することと、葉の持ちかえは同時に進行した。その後葉がヨットの帆のような状態で抱えられると、全身の左右へと揺れる勢いがそれまでに比して明らかに大きくなり、起き上がりに至った。虫は抱えている

葉の配置が自身の姿勢にもたらすことを予期して、全身の揺らし方を変えたように見えた。（34秒）

「見えた」んかい！　変えたように見えたって。そう思ったってだけじゃないか。しかしなぜシソの葉……。

この佐々木さんという方がそうとうな変り者だと思った人も少なくないはずだが、論文というものは「査読」という、おなじような専門領域を研究している人のチェックが入り、ＯＫが出てはじめて掲載が許可されるもの。つまり、変わったことをしている暇人ではなく、この論文にもきちんと研究の意義が認められているのだ。

執筆の動機

では、なぜ彼はこれだけのことをしているのか。私もずっとそれが気になっていたのだが、この論文にはもちろんその理由が書かれていた。そろそろその疑問にお答えしようと思う。

この論文は「心理学」の研究である。カブトムシの心理なんてだれがわかるんだと思うかもしれないが、心理というよりは知覚、なにを考えどう行動しているか、ということと捉《とら》えてほしい。虫は人間の脳ほど複雑にいろいろと考えない。したがってカブトムシのほうがシンプルに観察できるというわけだ。

私たちの日常の行為というのは、周囲の影響を受けている。歩行する路面の凹凸、椅子の座面の広さや背もたれの傾き、そんな要素が、実は行動に影響を与えている。たとえば、椅子の位置が固定されている飲食店に入ったことはないだろうか。また、7人掛けの電車の椅子に、2人・3人・2人と座れるように仕切りがついているのを見たことはないだろうか。建築やデザインの世界では、すでに周囲の環境によって、人の行動を制限する、ということが行われている。お店の回転率をあげたり、電車で効率のよい着席が行われるように、デザインで行動を制限する。路面の模様を変えるだけで、人の歩く方向が固定化される。これもデザインで人間の行動をなんとかコントロールしようという工夫だ。

けれど、20世紀の心理学の世界では、この周囲の影響については研究されてこなかった。ただひたすら、人間、あるいは人間に準じるものや人間に応用できる動物のなかで、なにが起こっているかを研究してきたという。

ただし、心理学の歴史上、例外的に周囲の環境が行動に与える影響を研究したといっていい研究者がいた。それがチャールズ・ロバート・ダーウィン、あの進化論でおなじみのダーウィンである。ダーウィンはどうしても進化論ばかりがフィーチャーされてしまっているが、自然科学全般にわたって造詣《ぞうけい》が深く、本人は地質学者と名乗っているほど地質学に詳しい人物でもある。

そんなダーウィンが、最晩年にミミズの研究をしているのだが、その研究というのが、まさにこの周囲の環境によってミミズの行動がどう変化するかを観察した研究であった。著者の佐々木さんによれば、「ダーウィンは多種の形をした葉（針葉のような形状を含む）、葉柄など、ミミズの周囲にもともとあった物、三角形に切った紙片など、観察者がわざとフィールドに置いた物をたくさん調べ、それらの形のどのような性質がミミズによって使用されたのか、その確率を示すことで、ミミズが住まうところである『穴』の入口をふさぐ行為をあらわした」という。ただ、その周囲の環境をどう使用したかは「読者の想像にゆだねられた」らしい。

この論文は、そんなダーウィンが100年以上前に開拓した、周囲の環境が行動にどう影響を与えるか、ということを、行為も記述するという同時並行で行った世界初の論文なのだった。つまり、「シソの葉」は、実際のカブトムシのいる環境でいう、「ぬれた落ち葉」に相当し、爪楊枝などは「短い木の枝」、もう少し長い枝が割り箸、チラシは乾燥した落ち葉の山、ヒモ状の植物の枝なども強度や長さによって、ビニルヒモやリボンなどに相当する、といった具合である。カブトムシの周囲の環境にあるものを疑似的に、現代的な無機物などで再現したというわけだ。

そして、「起き上がる」というカブトムシの目的にあわせて、その周囲のものの性質によって、どう戦略を変えるのか。カブトムシの起き上がりを例として観察したのだった。

ダーウィンのミミズの研究のあと、その道を開拓する研究者は現れなかったが、この手法を再評価、そして進化させようじゃないかという志の高い論文がこの「「起き上がるカブトムシ」の観察」だった。

新時代を迎えるために、100年前の手法をとってみるという、ドラマチックな論文なのだった。佐々木さんは、カブトムシではなく、ダーウィンと対話していたのだ。

カブトムシを起き上がらせてわかったこと

片脚をなにかにひっかけて回転して起き上がる、という方法。

なにかやわらかいものをまるめて、それを抱きかかえて回転して起き上がる、という方法。

なにか固いものにそって回転しながら起き上がる、という方法。

主にこの3つの起き上がり方があることをこの観察で確認した、というのが結論といえば結論なのだが、驚くべきは、カブトムシがこれだけ起き上がる戦略＝意図をもって行動していることがわかったことだ。

さらに大事なのは、「丸い背中を利用して回転する」というカブトムシの起き上がりの習性と、自然のなかでいろんな周囲の環境に対応できるような、起き上がりのパターンを持っている、ということがわかったこと。あるいは、むしろそういう周囲の環境が、カブトムシをあのような形にしているのかもしれない、という生物進化論にまで発展する。

ところが筆者の佐々木さんは、そこまで飛躍せずに、結びではこう書いている。「いうまでもないだろうが、多くの読者を楽しませる『昆虫記』などでは、動物（個体と種）の意図をより大きな生の持続のための長い活動として描いている。本稿の『起き上がり』行為はそうしたマクロな活動に埋め込まれているだろうほんのわずかな過程にすぎない。しかしそれは、本稿で示したように、柔軟な過程である。おそらく『起き上がり』は、カブトムシの行為研究の一事例として観察の俎上に上げてもよいくらいには、見逃せない部分なのだろうと思われる」、けっこう謙虚じゃないか。こういう研究も隅っこにあってもいいよね、というバランス感覚を持っていた方だった。ほっこり。

でも、すごい研究だと思う。こうして、途絶えてしまった研究や手法を掘り起こして、現在的な意味を付加してくれる論文は、ただ実験してデータをとっていく論文よりも、かけた時間に対して本当に意味があったのかどうかすぐわからないだけ、よほど勇気がいるのだ。しかし、こういう論文によって、魂は継承されていく。最短距離だけがいいわけじゃない。それは、人間の「起き上がり」でも、研究の「起き上がり」でもおなじだ。一見遠回りなようなものが、実は正解だったということが実際にはよくある。

人生で、もっとも無駄な自由研究をしたいのなら、今度はクワガタの起き上がりの研究なんてどうでしょう？

カブトムシ起き上がりの研究でした。

六本目
競艇場のユルさについて

寄藤晶子(2007)「曖昧さが残る場所 ―競艇場のエスノグラフィー―」
『現代風俗学研究』第13号

競艇場のすすめ

競艇場、行かれたことがあるだろうか。
暑い季節は水面が気持ちよい競艇、寒い季節はひたすら震えながら応援する競艇。私は学生時代、なぜか友人と日本のいくつかの競艇場に行って、競馬とも競輪とも雰囲気のちがう空間の魅力に惹《ひ》かれて一時期「なんなんだここは！」と言いながらも通った経験がある。

行ったことのない人はぜひ一度足を運んでみるとおもしろいと思う。駅を降りた瞬間から聞こえるモーター音にテンションがあがり、まったく読み方のわからない競艇新聞を買い、それでも6艇しか走らないからなんとなく買ってなんとなく当たるあの公営ギャンブルに集まるおじさんたちの雰囲気を味わってほしい。どこか安心する場所なのである。若干、競馬場とかにいる人たちよりも、歯抜け率高いおじさんが集まっている印象で、どでかいレース以外はそんなに混んでない感じで、料理もおいしくて割と安く時間をつぶせる場所なのである。そんな思い出があったなかでの「競艇場のエスノグラフィー」というサブタイトルにひかれて、ちょっと読み始めてみたら、なにかとんでもないことをしている筆者だぞと気づいた。「エスノグラフィー」というのは、「民族誌」という意味なので、簡単にいってしまえば、競艇場に関する記憶、くらいの意味なのだが、筆者は女性だ。女性の研究者が、ひとりで競艇場に……？
それだけでもなにがあったんだ一体と興味をそそられる。

冒頭にはこう書いてある。

筆者は、1997年から開始した卒業論文の調査をきっかけとして愛知県常滑市にある常滑モーターボート競走場（以下、常滑競艇場）と関わり、今日もフィールドワークを行ってきた。本稿では、これまで書きためたフィールドノートに基づいて、公営ギャンブル場内部に焦点をしぼり、誰が・どんなことをして・過ごしているのか、詳細に記述したいと思う。

いったいこの作業のなにが楽しいんだろう。あと、「モーターボート競走場と関わり」って、どうやって関わるのだろう。単なるおじさんたちの行動を記録してなにが楽しいのか。卒論で扱うために97年から通っているということは、この論文が発表された時点でもすでに10年が経っている。晶子先生はたぶん、そんなに私と年齢も変わらない。お父さんと子どもの頃に通った場所だったのか、当時付き合っていた彼氏と通った場所だったのか、なんのキッカケで競艇場に通ったのかは書かれていない。

この論文を読むことは、ひとりの女性の青春の10年間を読むことに等しいかもしれない。そう考えるといったいどんな学問的テーマをそこに見出してきたのか、読みながらますます気になることだらけである。

調査

とはいえ、晶子先生は、ただ単にひとりの人間としてぼんやり競艇場にいたわけではなかった。競艇場の協力も得て、いろんなデータを提供してもらっている。それがすごい。競艇場との関わりって、そういうことだったのか。

我々は、普段行かない場所を「非日常」の空間と感じている。たとえば、健康な人にとって病院というのは非日常的な場所だし、キリスト教徒でなければ教会も非日常的な場所だろう。でも、この世界にはそういう、普段私たちがまったく脳みそのなかで想像していない場所にも、おなじ時間が流れている。競艇場もそうだ。

愛知県、常滑競艇場。だいたい年間180日開催していて、5~6日間のレースを月に2、3回やってる。一年の半分は稼働している。それで成り立っているからそれだけの数の人たちがその地方都市の競艇場に行っているのがすごいのだが、どうやらデータによると競艇もいまは受難の時代だそうだ。

晶子先生の紹介によると、常滑競艇場は1970年代がピークで、一日1万人くらい来ていたが、現在は一日平均2000人前後。来場者の8割以上が男性。平均年齢は50歳前後、平日だと60歳以上の高年齢層の来場が増えるという。来場者の競艇の平均経験年数20年前後。

つまり、30代くらいから競艇をはじめてる人たちが、そのまま い続けており、新規はあまり開拓されていない。まさにミサのように競艇場に来ているというのだ。一体なにしている人たちなのだろう。ピーク時から人数は激減しているのは、もしかして愛好者が高齢化して死んでるってだけじゃ……。いや、そういうことは考えちゃいけない！

3割が月に11回以上の頻度で来場しているという。それってバイトのシフトよりやや多めじゃないか。ほぼ週3で行ってるっていう。その時間働いたらけっこうなお金にはなるわけだけど、そういうことじゃない。地方にはパチンコとか公営ギャンブルくらいしか大人が遊ぶところはないのだ。

というのは、この常滑競艇場のデータは、全国的なデータとまったく同様の数字だからだ。こういうところから、日本の姿が見えてくるではないか。

どういう人たちがいるのか

競艇場にはどういうおじさんたちがいるのか。そこをどう語るかと思ったら、晶子先生、自分で言うのが忍びなかったんだろう。蛭子能収《えびすよしかず》さんの雑誌での対談を引用している（蛭子能収・杉作《すぎさく》J太郎《たろう》対談「気弱なギャンブラーたち」別冊宝島125号より）。香川の丸亀《まるがめ》競艇場の印象について、競艇場まで行くバスの車内の様子を、蛭子さんはこう言っている、という形での引用だ。

「車内はおじいさんばっかり。ヨボヨボの年寄同士がお互いに席を譲り合ってるんです、「おじいさん、こっちこっち」って言いながら。（中略）バスが揺れると、座席がほぼ埋まったら、もうそれ以上乗せないんですよね。（笑）。のんびり、ゆったりしてて、ほんとにいい」。おじいさんがバタンと倒れそうになったりするんですよ

この発言に対して、対談相手が杉作J太郎さん（それにしてもすごい対談である）なのだが、杉作さんが、

「隠居して楽な生活送っていそうな人より、全面的に人生くたびれちゃった、っていうおじいさんのほうが多そうに見えますよね（笑）」。

といっているのだ。杉作さんは、ご存じない方のために説明しておくと、邦画を語らせたらめちゃくちゃ本格的な語り手でありつつ、こういうことを言っても嫌味にならない、どちらかというと「おじさんたちの味方」という立ち位置の人物である。

この後から競艇場にいる人たちを、晶子先生は「杉作の語る「全面的に人生くたびれちゃったっていうおじいさん」」っていうのだが、これ杉作さんが悪者になってる

だけのようにも思うが、そこは不問にしておこう。くたびれちゃったって！　しかし、たしかに私が感じたあの競馬とも競輪ともちがう雰囲気の場所、その魅力がこの言葉のなかに詰まっているのかもしれない。ギャンブルしているのにガツガツしていないあの雰囲気。

蛭子さんと杉作さんの対談を読んでいる、若い女性の晶子先生いったい何者なんだよっていうことは置いておいて、ここからが本題なのだが、この論文がなぜ研究として成り立っているかというと、そういう人たちが集まる場所ってどういう特徴があるのか、ということを研究した論文だからなのである。

こうして晶子先生のフィールドワークが展開されていくわけなのだが、彼女は競艇場行きのバスに乗って競艇場に行き、まず競艇場のなかにも、場所によってそこにいる人たちの属性がちがうことを記述している。

「たとえば、指定席料金1000円が必要となる3階と、指定席料金が不要の1・2階では、身なりや装飾品、言動といった点で来場者に明らかな違いがある」、って、おいいっちゃう⁉　身なりならまだしも、言動って。おもしろすぎる。こういう違いに気づけたのは、もしかしたら晶子先生ならではの女性的な視点があったからかもしれないが、けっこうハッキリものをいう人だな。

「女性従業員のあいだでも、3階では言葉使いを丁寧にしないといけない雰囲気があり、「お客様」と声をかけるという」って、1000円でこの扱いの違いがあるの!? でも、これは競艇場の職員に聞いたってことだろう。学術的な調査ということで、関係者も協力して正直にいってくれたのだろう。「雰囲気がある」というのは、決して競艇場側でそういう教育をしたわけではない、ということなのだ。

「逆に、1・2階には一見して所持金を多くもつ風には見えない高齢者の姿が多く見られる」。いやこれは晶子先生、いってのけたな。「多くもつ風には見えない」ってなんだよ。あくまで、雰囲気ね、雰囲気。

競争水面に向かって巨大ガラスで仕切られた観覧席となっている2階席は、冷暖房が完備されているため、夏冬問わず高齢者の利用も多い。ただし、全席からレースが見られるように急勾配に座席が配置されているため、足腰の弱い高齢者などは急勾配の階段を上り下りしなくて済むような投票所の近くに腰を落ち着けるようである。常連客になると、朝一番から来場する知り合いに頼んで座布団を座席に置いてもらい、場所取りをする人もいる。この座布団は、小学校などで座席に取り付ける防災頭巾に似て一辺に縫い付けられたゴムを座席の背面に引っ掛けることができるものである。もともとは柔らかくピンク色だったと思われる座布団が使い込まれるうちに灰色がかった煎餅座布団となり、それが座席の「主」の存在を強烈に主張する。

これ小説⁉　およそ論文とは思えない緻密《ちみつ》な描写に思わず息をのみ、笑うことすら忘れてしまうのだが、競艇場に来ている人たちの行動パターンや、用意している小物などがなにを示しているか（ここだと、場所取り用の座布団にもっとも適したものを選び、しかもそれが経年変化で変色しているという、長い時間を意味する小道具になっている）の読み取り能力に驚愕《きょうがく》する。

そんな晶子先生が、それでも1000円を払わず3階席ではない場所に陣取っている人たちを「所持金を多くもつ風に見えない」というのなら、そうなのかもしれない、と思えてくる。というのも、これだけハッキリいう言葉の裏には、そういうおじさん（おじいさん？）たちを愛《いと》おしく見つめる晶子先生の母性があるようだ。晶子先生は1・2階にいるおじさんたちが大好き、競艇場のゆる〜い雰囲気が大好きみたいで、熱心に取材してる。

おじさんたちは競艇場内の料理屋には行くのだが、そこのおばちゃんとおじさんたちが一言二言しゃべってるのを晶子先生は耳をそばだててよく聞いている。

串かつとか注文してる間に、おじさんが「もう、いかんわー」とはなしかけると、おばちゃんが「なんでー」って返したり、入場景品をお店のカウンターに置いて「こんなのもらって喜ぶとおもってんのかなー、いらんわーやるやる」といっておばちゃんに渡したり。「オレ、いらないからお前にやる……」みたいな照れながらプレゼント渡す少年たちとなにがちがうのか！　なかなかかわいいじゃないかおじさんたち。おじさんたちはおばちゃんとのそういうやりとりを終えると、「客は非常に嬉しそうに小走りで観覧席へ戻っていく」と書かれているあたり、なんかもう、萌《も》えてるじゃないですか。「嬉しそうに」って書く必要ないでしょう。描写もひたすら細かい。

> 場内にじっととどまっている老人たちの姿が1・2階にはある。杖をつく老人、背中の曲がっている男性、白い頭髪も薄くなり、やせた体にスラックスのベルトが目立つ男性、度の強い老眼鏡が合わないらしく鼻の上に乗せている老人などがあちこちに見られる。

　ってもう老人パラダイスじゃないか！　このおじいさんたち、ほかに行くところはないけれど、とりあえず人の集まっているところに来ている。おじいさん、かわいい……そういう日本的な母性を発揮している晶子先生のフィールドワークこそがこの論文なのである。

競艇場に来ているおじさんたちは、みんなおなじようでいて、もちろんひとりずつちがう。でも、なんとなく居場所をそれぞれが持っている場所。それが競艇場！

来場者の行動パターンによっても、いくつかのジャンル分けをしている。

競艇場では観覧席などに腰を落ち着けてあまり歩き回らないか、予想をしたり結果を見るのに適した場所を求めて場内を移動するかによって過ごし方が異なるようである。前述の座布団の主のような「居場所」を定めて行動する人を「基点設置型」と呼ぶならば、気分や観覧席の状況に応じて移動するタイプを「場内巡行型」と表せる。

基点設置型には高齢者、場内巡行型は若年層に多いらしい。たしかに私も競艇場に行ったときは後者だった。行きなれた競艇場でやり慣れてくると、年齢問わず基点設置型になるんだけどね。

晶子先生はインタビューもしている。競艇場に来ているあるおじいさんにインタビューした箇所。

「妻に先立たれ、年金で競艇やってる。誰にも悪いことない、迷惑かけてない」と言いながら、娘が心配して勧める老人ホームへの入居に躊躇いを感じていたって書いてあるんだけど、おじいさん、娘に心配かけてるじゃないか。誰にも悪いことしてないってよくいえたな、おい。

では、なんで老人ホーム入るのいやなのか。そのおじいさんがいうには「入るとね、競艇来れんくなるでしょ。それがね」、競艇のためだけかよ。

というか、競艇場も老人ホームも平均年齢たいして変わらない説……。しかし、娯楽が非常に限られており、さらに現役世代ではない地方の人たちの生活の現状がここにはある。

晶子先生の調査はこれだけに終わらない。行動や発言だけではなく、きちんと身なりに関しても鋭く観察しているのだ。たとえば、足元に関する記述にはこうある。

足元を見るとこれも様々であるが、夏場には素足でサンダル姿が多く見られ、秋・冬には靴下を穿いて靴を履く姿も多い。爪先の尖った女性用サンダルを履いている男性も散見される。靴下を穿いても女性用サンダルを履く人も多く、土踏まずの部分から踵にかけてがサンダルからはみ出している男性も少なくない。

少なくないんかい。というか、なんなんでしょう。あのおじさんの女性用サンダルのつっかけ率の高さ。おかあちゃんのサンダルそのまま履いてるんかなあ。それにしても晶子先生、じとっと見すぎだ。

こうなってくると、論文を読みながらひとつの推測が立ってくる。

(もしかしたら、晶子先生はおじさんフェチ、初老の男性フェチなのではないか。枯れ専か⁉)

くたびれちゃったおじいさんたちの天使として晶子先生が競艇場のアイドルになりつつあるのではないかと少し疑ってかかったところ、ちょうどその話題になってくる。それは、この論文に観察と調査に続いて、唐突に競艇場のおじさんたち評がはじまったところに明らかになる。

競艇場に集う男性のもつ独特の雰囲気については、筆者も感じるものがある。

競艇場の男性たちは、丸の内のオフィス街を歩く背広姿の男性群や、ホテルの宴会場でコンパニオンを冷やかす企業の慰安旅行の集団とも異なる。後者の迫力を肉食動物のそれだとすると、競艇場の男たちには乾いた草の香りがただよう草食動物の印象がある。

乾いた草の香りってなんだよ。干し草かよ。かぴかぴかよ。

そして、いきなりそれまで「来場者」「高齢男性」と表現していたおじさんたちのことを「競艇場の男たち」と表現した。競艇場の男たち……。

競艇場内でのフィールドワーク中に筆者は手を握られたりホテルに誘われたりすることもあったが、質の悪いのはごく少数で、大方は「勝ったら美味しいものごちそうしたる」といいつつも照れながら「あかんかった。また今度な」と小さく笑って、(毎回最後は)席を立つような人たちであり、姓名判断でレースを予想する方法を真剣に教えてくれるような人たちであった。

なにこのエピソード。一応口説かれました的な話になってるんだけど、じとっとみているから勘違いさせただけなんじゃ……とも思うが、それでも「質の悪いごく少数」が気になってしょうがない。とはいえ、街を歩いててしつこくキャッチしてきたりナンパしてくる人たちより圧倒的に扱いやすい、ということなのだろう。

この段落の最後、「これがどういった意味を持つのかは別稿に譲るとして」とサラッと書いてあったが、譲らないで遠慮せず書いてほしかった。なんだったんだろう、おじいさんに萌えただけだったのかな。

あと、彼らは草食系だなんてとんでもないと思います。手を握るとか、けっこうな行動だと思います。

ついに動いた晶子先生

後半になると、上記に続いてしれっと衝撃の事実が明かされるのがこの論文の面白いところで、たとえば、こういった文章があった。

「筆者がアルバイトをした店は、経営者（店長）夫婦と2名のパートで営業していた」。

バイトはじめちゃってたのかよ。競艇場でバイトはじめちゃったよ。

「10時半過ぎから営業を開始すると、すぐに1つ2つと串カツが売れた。競艇場で忙しい時間帯は11時過ぎから3時あたりとされるが、確かに11時半前から飲食売店が立ち並ぶ一角には客足が増え始め、見る間に各店の前は人だかりになった。「早くしろ」「おい、まだか」とイライラした声を出す男性もいるが、どこの店でも軽くあしらいながらテンポよく料理を出していく」、と、臨場感のあるレポートが続く。クレームをつける客に対して過剰に反応せずに、「あしらう」ことで、だれからも文句がないような調和を保っている。まさにいまの社会に足りない度量の大きさではないか。

こうして、晶子先生は研究そっちのけの競艇場通いをするわけであるが、この論文、要するにどんな研究かというと、いま、いろんな世代がおもいおもいの行動をしてもよい場所というのが限られてきている、と。駅の待ち合わせスポットには監視カメラが置かれ、腰かけられそうな場所には妙な突起物の装飾が施される。公園では「母親」と「子ども」以外は「異物」として見られ、若い男や日本語をしゃべれない外国人がいると、通報されたりする。ベンチはねっころがれないように仕切りがつけられている。

誰のものでもない公共空間が、限定された人たちのものになっているけれど、競艇場みたいなところにこそ、だれもが自由に行動できる「理想の空間」が広がっている、というような「場所」の研究なのである。

ここまでは、来場しているおじさんたちを中心に紹介してきたわけであるが、論文ではほかの来場者についても詳細に書かれている。

たとえば、女性の来場者について。全体の1割前後しかいない女性来場者ではあるが、なかでも晶子先生は平日と休日の女性来場者に大きなちがいがあるとしている。

簡単に言えば、平日に来場する女性客には場内において男性との接触があまり見られないのである。そもそも、平日に来場する20代前後の女性自体が少ないのだが、場内では乳児をおぶった若い女性と、乳母車を押す40～50代の女性のペアなどが目につく。女性と子供だけのこうしたグループは1階で見かけることが多く、階段の踊り場などに新聞やレジャーシートを敷いて、持参した哺乳瓶で乳児の世話をしつつ屋外観覧席の見通しの良い場所で過ごしている。

つまり、実際には賭《か》けていないというのだ。奥さんや子ども連れて競艇場に来ている夫の存在については触れられていないけれど、それにしても家族で楽しめる場所でもあるし、目的がちがう人がいてもOKな場所になっているというのだ。たしかに、あったかい季節の競艇場の開放感は他に代えがたいものがある。太陽を浴びた子どもたちが走り回る姿を見られるロケーションであることにも筆者は触れて、子どもたちの行動と、それを見つめる大人たちをこう記述している。

実際、子ども連れの場合は決まった場所に来場する。そして一定の時間を置いて投票窓口に向かう親を尻目に、子どもたちはにぎやかに鬼ごっこ等をする。そうした姿は、投票所の内側で舟券を販売する女性従業員たちの視線を集める。女性従業員たちは舟券の販売を終えると「また、あの子来とるね。かわいいね～」と見入ったり、しばらく来場しない日が続くと「あの、柱んとこによう来る子、今日も来んねぇ。しばらく見んねぇ」と心配しあう。（中略）お小遣いをもらって歓声をあげながら買い物にやってくる子どもを、競艇場内にある飲食売店の店員たちがニコニコしながら迎え入れ、それを窓口の女性従業員が微笑ましく眺めている。午後になると、はしゃぎ疲れた4～5歳の女の子が母親の膝枕で眠っていたりもする。

どうだろうか。最近、読者のみなさんはこういう光景を公園などで見るだろうか。もちろん、親ではない世代の人で、である。「一定の時間を置いて投票窓口に向かう親」という描写に、なぜか笑ってしまうのだが、子どもたちがその後どういう大人になるのか、どういう家庭にいるのかは置いておいたとして、地域に育てられる子ども、という姿は、実は見なくなったのではないだろうか。

そうかと思うと、ある程度年を取った女性たちの一群も競艇場にはいて、そういう人たちを晶子先生は見逃さない。

男性同伴者を伴わない40代以上の女性たちも存在する。彼女たちは「基点設置型」の典型といえるかもしれない。50代から70代の女性たちで構成されるこのグループは、自家製の漬け物やおにぎりを持参してトイレ横のパウダールーム（便所とはちがう場所）を占有する。彼女たちはそもそも単独で来場するか知人同士で来場するかしてパウダールームで落ち合う。パウダールームを居場所にする数名の女性に聞いたところ、来場するとまっすぐにこの部屋を目指し、舟券を買いに出るときと的中払戻金を受け取るとき以外は部屋の中にいるという。めったに「外」に出ないという女性たちは「外は男ばかりでしょ」という。

パウダールームには中継用のモニターが設置されているので、そこで一日過ごすこともできるのだ。

一人の女性は持参した水筒のお茶とタッパーに入れたお菓子を筆者にも振る舞ってくれた。女性たちの会話はレース結果や予想についてだけではない。これまで通院していた地域病院の医者が別の病院に移動してしまったことや、みのもんたの番組で紹介されていた話、知人家族の不仲のことなどあれこれおしゃべりをする。そしてお茶を飲む。

完全に井戸端会議だ。部屋の外は予想屋や掛け声、場内アナウンスがうるさい。昔なら地域の人たちが自然と集まる場所があったかもしれないが、地方とはいえいまは管理型社会である。地域の施設を使うのにも、申請したりお金がかかったりする。けれど、競艇場なら情報交換もできて、しかも競艇をしてドキドキもできる、さらにパチンコよりも損はしないで楽しめる（100円で賭けられるので）。願ったりかなったりの場所なのだ。「基点設置型」というここで出てきた！という言葉を当たり前のようにスルーしちゃってる私も私なのだが、それよりも興味深い事実が次から次へと出てくる。データこそ詳細には示している論文ではないが、フィールドワークとはこういう「現場の肌感覚」なのだ。井戸端会議の場所。これに気付いている人が、競艇場に来ているということらしい。

国立や公立大学のキャンパスにも、大学関係者以外の人がいることは珍しいことではないが、競艇場の変わったところは、売店も存在しているということだ。来場者だけではなく、民間店舗の飲食店では、経営者夫婦とその家族で切り盛りしているのか、夏休みになると中学生や高校生の子が、自分だけではなく幼い兄弟も連れて手伝いにきているという。

彼女たちは焼き上がったお好み焼きを整理したり、割り箸を補充するような仕事をする。客が店員の女性を、「おかーちゃん」とか「ママ」「ママさん」「おばちゃん」「おい」「ちょっと」「ねえ」などという言い方で呼び注文するのにも、子どもたちは物怖じしないようである。

田舎の観光地の売店とかもだいたいこうだよね。

つまり、それが日常の風景であり、家族ではない人たちと関わることが「当たり前」の世界がここにはあるというのだ。向こう三軒両隣といった昔のご近所づきあいのように、徐々に顔見知りになっていき、大人は自分の子どもかそうではないかを問わず、ダメなものはダメというし、子どもも大人をシビアに見る目を養う。そういう空気感が、まだ競艇場にはあるのだ。

いまや電話やインターネットでも公営ギャンブルを楽しむことはできる。しかし、そんな時代に高齢者がそれでも競艇場に集まるのは、決してIT化に遅れたわけではない。「第一レースまでに6割が入場し最終レースまで全体の半数が残っているという状況は、来場者にとって競艇場に「賭け」以外の魅力が存在することを示唆している」と述べているように、競艇ではなく競艇場という場所、に重要な意味があるというのだ。

私も芸人の末端である。仲間内でも競艇場での仕事の入る芸人がいるし、私も何度か行ったことがある。知り合いだとU字工事が「競艇場の帝王」と呼ばれるほど滑り知らずと言われているが、私たちも負けていない。おじさんたちを笑わせるのは至難の業だが、驚くことに、お笑いのステージなどには子どもや家族連れがくるのだ。つまり、お父さんが競艇をしにいくついでに家族を連れて行くという「家族サービス」の場所であり、もちろんそんな奥さんや子どもたちでも楽しめる、自由にしていい空間がある。競艇という目的だけを目指している人たちだけではなく、パチンコとかにはない空間を演出することで、だれもが楽しめる場所になりかかっているのは事実だ。だって、公園だってテーマパークだって、人でいっぱいなんだもの。自由にしていい場所って限られている。

この論文を紹介したのは、最後にこの論文のある文章を紹介したかったからだ。少し長いが引用を許してほしい。

競艇場には着飾らず気負わずに、日常の延長線上のなかで足をのばせるという場所の「気安さ」があるということ。潤沢ではない資金でも選択肢が保証された「食」がある。（中略）腰を下ろし、そこを自分の場所だとして「あんた邪魔や、どき！」とさけぶ自由がある。60代の女性が一人でやってくる。自分は排除されないという気持ちの置き場があり、そこへ行けば友人に会えるという確信がある。

自分たちの居場所を訪問した筆者を自宅のようにもてなしてくれた自由がある。競艇場は訪れる者に確信を提供する。競艇場内では暗黙のルールに基づいて場所を奪い合うことはあっても、居場所を作る行為自体を排除するものはいない。そこかしこに暗黙のルールがあり、ルールのなかで私の〝座布団〟を置く自由が保証される。多様な世代が混在していることが、奇異の視線にさらされない場所がどれだけあるだろうか。競艇場では疲れた祖母が階段に横になり、孫はお小遣いでアイスクリームを買いに行く。その光景を歓び、許す人間がいる。まったく違うことに夢中になる男たちも同居する。立ち位置も、価値を置く対象もまったく異なる人間が数百人、数千人、平和に静かに場所を占有する。

どうだろうか。競艇場、一度でも行きたくなったでしょう？

これがこの論文の、研究への「愛」のありかだ。

「ギャンブルという単一の機能に還元させない「緩さ」や「曖昧さ」が公営ギャンブル場には存在する」、「赤字を積み上げる地方都市の公営ギャンブル場からは、皮肉なことに、その扉から来場を迎え入れるたびに、都市から失われていく差異を許す「曖昧さ」が溢れ出ているのである」、とこの論文は締められている。単なるおじさん好きの女子じゃなかった。ごめんよ晶子先生。

緩さを許す場所。そんな「ユルユル」な場所、あなたの家の近くにありますか？

公営ギャンブル場、なくなる前に、ぜひ一度。

七本目
前世の記憶をもつ子ども

大門正幸(2011)「「過去生の記憶」を持つ子供について ―日本人児童の事例―」
『人体科学』vol.20

「前世の記憶」はオカルト？

前世の記憶がある方はいらっしゃるだろうか。あるいは、自分の子どものころに前世のことをしゃべっていたらしいとか、自分の子どもに前世のことを聞いたらしゃべったという経験をした人はいるだろうか。

今回の論文は、そんな前世、これを学術的には「過去生」というらしいのだが、その過去生の記憶を持つ子どもを学術的に調査してみた、という論文だ。

いきなりオカルトかよと思う人もいるかもしれない。しかし、極言すれば研究とはすべてオカルトである。「よくわからないもの」をわかろうとするいとなみだ。その対象が、宇宙であっても人体であっても、わからないことはこの世に山ほどある。

考えてみてほしい。UFOも幽霊も、前世も来世も、「ある」ということが証明されているわけでもないし、「ない」ということも証明されていない、「よくわからないもの」なのだ。そんなバカなと思われていたことが、学問の成果によって覆されてきた例は山ほどある。天体が動いていると思われていた時代に地球が動いているなんていう人はオカルト信仰者だったし、重力なんていう力が私たちの体に常に働いているなんて考える必要がなかった時代に生まれていたら重力の存在なんてオカルトだろう。

そもそもオカルトが「目に見えないもの」という意味だったので、目に見えないものが「ある」か「ない」かの研究は、人類の歴史にとってみたらまだ歴史の浅い研究なのである。だから、これから書くことはひとまず「常識」という名の眼鏡を置いて、フラットな感覚で読んでいただきたい。スピリチュアルを支持せよというものではない。信じるか信じないかを決める前に、検討材料を整理せよということ。それが研究する人たちの姿勢だからだ。善悪や常識的にどうかということはひとまず横に置いて、目の前の「現象」を追う。

掲載されている雑誌は『人体科学』。おなじ号に掲載されている論文は「脳梗塞後遺症によるシビレを主訴とした患者に対する始原東洋医学に基づく鍼灸治療の有効性の検討」とかである。マトモそうでしょ？　一方で「人体近傍のヒーリングパワーのポテンシャル分布」とか「非人称的視点―スピリチュアリティを記述するためのメタ方法論―」とか「おや？」というものもあるのがすごいんだけど、この玉石混淆《こんこう》感が常識という名の固定観念を脇に置いている感じをよりリアルに伝えてくれるではないか。

と、えらそうなことをいってみたが、私は目に見えないものはあると思ったほうが「おもしろい」という、おもしろいかどうかの基準で世の中を見ちゃう癖があるので、タイトルからして興味をそそられてしまった。

日本の意外な先人たち

筆者の大門《おおかど》先生の論文によると、そもそも、生まれ変わりの研究に関しては、イギリスをはじめ世界中の子どもたちを調査対象として研究されてきたらしい。しかし、日本がこの一連の研究にとって重要な研究の発信地であったことをみなさんはご存じだろうか。平田《ひらた》篤胤《あつたね》という江戸時代の学者が、勝五郎《かつごろう》さんという人の生まれ変わり体験記を、『勝五郎再生記聞』としてまとめています。この勝五郎の話をラフカディオ・ハーンが海外に紹介したのが、世界で学術的に過去生を研究することになった端緒といってもいいそうなのだ。この平田篤胤、調べてみると、没後の本居宣長《もとおりのりなが》が自分の夢に出てきて師弟関係を結んだ、と宣長の息子の春庭《はるにわ》に手紙を出しているくらい当時からそっち系の大学者。そうか、だとしたら平田の蒔《ま》いた種はこの日本でも実を結ばせたいよね。ビバ篤胤。

が、この論文が単なるオカルト雑誌の噂話と違うのは、親たちや大人の作り話ではない、という点が確かなところにある。もともと、調査対象になった子どもの親が、自分の子どもがよくわからないことをいうのを心配して医者に相談に行き、その医者が雑誌論文として報告したり、その後この子どもの発言を詳細に記録したところからはじまっているからだ。つまり、まわりの大人は「子どものいうことを信じたい」というところから入っているのではなくて、「病気なんじゃないのか」とむしろ疑っちゃう側だったというところに信用がおけるのだ。

Ｔｏｍｏくんの話

さて、この論文で取り上げられているのは、ひとりの男の子。多くの「過去生」を持つ子どもを集めたわけではなく、ひとりの子の調査結果の報告なので、データの分母というよりは「質」を重視した論文である。

彼は２０００年１月生まれ、関西在住の通称「Ｔｏｍｏ」くん。で、この大門先生が、２０１０年６月にＴｏｍｏくんとその母親、７月にＴｏｍｏくんとその父親と面談したところから、過去の医者の記録や発言記録、ビデオなどの記録メディアをたどっていくんだけど、先生と面会した時点では、すでに本人は幼少時に語っていた過去生の記憶はほとんど覚えていなかったということである。

この手の研究は、本人が大人になると忘れていってしまうため、困難だし信憑性《しんぴょうせい》も疑われるところになってしまうのだが、それにしてもこの論文は面白い！　先生がたどった情報を読者のみなさんにも一緒にたどってもらおう。

このＴｏｍｏくん、１歳（０歳11ヶ月）頃から過去生に関するふるまいを示すようになった。テレビＣＭに出てきた「ＡＪＩＮＯＭＯＴＯ」や「ＣＯＳＭＯ」といったアルファベットに大変な興味を示したそうである。左から右に読めてよかったね。

２歳（１歳11ヶ月）頃から、お母さんの胎内にいたときの記憶を語りだし、２歳９ヶ月のとき、フジテレビのドラマ『ビギナー』のＥＤ曲「トップ・オブ・ザ・ワールド」を上手に歌った。好きなメロディを覚えただけかなと思っていたら、おなじ頃、ひらがなより先にアルファベットを覚え、自分の名前を「Ｔｏｍｏ」と書いた。トモではなくＴｏｍｏとここでも書いているのはそのためだ。私だったら神童を生んじゃったなーくらいで楽観的にとらえていたかもしれない。将来は英会話教えようかな、くらいのウキウキ感である。

ここまでだったら、普通の「子ども自慢」にも聞こえたりするし、賢い子だと思いたいばかりにそう親が思い込んだのかなとも思うのだが、４歳（３歳11ヶ月）頃から、過去生の記憶を語りだしたというのである。で、その内容というのが、「にんにくをむきたい」ということだった。

にんにくをむきたい？　４歳児の願望にしてはヤケに渋い……。

母：Ｔｏｍｏくん、にんにくむいた事あるの？
Ｔｏｍｏ：うん、前のＴｏｍｏくんの時した事がある。

論文ではこの母子の会話がこのように再現されている。

母：前のＴｏｍｏくんって誰？
Ｔｏｍｏ：８月９日生まれやったＴｏｍｏ君。

Ｔｏｍｏくんはこうもいった。「Ｔｏｍｏくんって呼ばれる前はイギリスのお料理やさんの子供やった」、「１９８８年８月９日に生まれて、ゲイリースって呼ばれてた。７階建ての建物に住んでた」、「45度くらいの熱が出て死んでしまった」。

図1　２才９～10ヶ月頃の絵（左下に「TOMO」というサインが見える）

おいおいおい。妙に具体的じゃないか。あまりに衝撃を受けた両親が、試しにＴｏｍｏくんの要望を叶《かな》えようとＴｏｍｏくんににんにくを見せた。すると剥《む》き方など教えたこともないのにおもむろに剝き始めたそうだ。そのときの様子の映像が残っているのであるが、なぜか普段右利きのＴｏｍｏくんが、にんにくを剝いたときに左利きになっていたのである。ひえ〜！

　こうして、Ｔｏｍｏくんの話を信じるとしたら、彼の前世は、どうやらイギリスの人らしい、ということがわかったのであった。これイギリスでよかったよね。アフリカの少数民族とか、マレー語とかで話されても全然わからないし、行けないし確認しようがない。

　当然母親は心配し、父親は「子どもの空想癖だろう」くらいに思っていた。事実、この時期の子どもは空想癖のある子もいて、妙に具体的な空想を口にする子もいるのだそうだ。だが、空想癖のある子どもの空想とは違って、とにかくＴｏｍｏくんの発言は一貫していて、いつ聞いても記憶にブレがなく、また何度もおなじことをいうので、両親はついにＴｏｍｏくんが病気なのではないかと思って医者につれていった。つまり、両親がひくほどＴｏｍｏくんのしゃべることは具体的で、およそ4歳児の空想で片づけてしまうのは無理があるほど信憑性があったということである。そして、Ｔｏｍｏくんが決まって口にする希望は、「イギリスのお母さんに会いたい」だった。この発言を聞いたときのお母さんの心境を察するとやりきれないのであるが、その後Ｔｏｍｏくんの発言はお医者さんの手によって記録されていくことになる。

そんなＴｏｍｏくん発言集がこの論文では25エピソードほど紹介されているのだが、いくつか衝撃のものを紹介したい。

まだ続く驚愕の出来事

3歳11ヶ月の時の発言。ホームセンターに出かけた際、地球儀を見つけると、「Ｔｏｍｏくん、この辺に住んでいた」と語り、イギリスの上方を指していた。そこで、イギリスの地図を見せたところ、スコットランドのエジンバラを指しながら、「エディンビア」と発音した。私なんかはいまだにエジンバラを指させない。お母さんは、よく子どもの話を聞いてあげてたなと感心する。ふつうの親なら「はいはい」とかいって聞かないかもしれない。

4歳になったばかりの時の発言。イギリスのＴｏｍｏくんが死んだ日について語っている。「１９９7年10月24〜25日の間」、「イギリスのお母さんが困った顔してた。5人になってしまったねぇとか言ってた」、「Ｔｏｍｏくん、土に埋めてはった」。悲しい顔を「困った顔」と表現しているのは子どもらしい。土に埋められた、というこのようなのだ。イギリスにはまだ土葬の文化が残っている。なくはない。88年に生まれて97年に亡くなったということは、9歳で亡くなっている、ということなのだろうか。

しかし、よくわからない発言もある。（足を指して）「ここにいっぱい毛が生えてた」という発言は、9歳で⁉ と思うし、4歳1ヶ月のときには、「イギリスのＴｏｍｏくんやった時、2月16日に初めておチンチンから白いジュースみたいのが出てきた」、「イギリスのＴｏｍｏくんのおチンチンは、黄色いおしっこと白いジュースと二種類出てきたよ」と、まさかの精通体験まで語っているのだ。いやいやいや、9歳で精通しているかね？ うーん、でも微妙なところだ。可能性としてなくもない。それより大事なことは、これを語っている4歳のＴｏｍｏくんは、あそこから白いジュースが出てくることはまだ知らないはずなのだ。

一方で、なんでこんなこと知ってるの？ という発言もある。「2階建てバスに乗ったことある。お金は「円」ではなく「ポンド」やった」すでにイギリスの通貨単位を知っているのである。2階建てバスの存在も当たり前のように口にしている衝撃。4歳6ヶ月のときには、「イギリスの家の向かいに「特別商店街」があり、日本の「醬油」を売ってた」といった。醬油が日本だけのものとは4歳と半年のＴｏｍｏくんは知らないはずなので、イギリスのＴｏｍｏくんとしての発言かもしれない。とにかく前世の人格と現在のＴｏｍｏくんが同居しているかのような発言なのだ。

「イギリスでミルク風呂に入ってた」という謎の発言や、「washbasin」（洗面器）という語を連発。「pleasure」（プレジャー）と発音したりと、もうこれはアタリ！　っていう発言ばかりが続くようになる。

もっともびっくりしたのは、先述の土葬発言のあとに、Ｔｏｍｏくんがまさに死んだときの「感覚」を言語化している部分である。


母：それからＴｏｍｏくん、どうしたん？

Ｔｏｍｏ：滑り台みたいな25階のエレベーターに乗ってるみたいな感じの事してたえ⁉　死ぬときってそういう感じなの⁉　なにか肉体から魂が抜け落ちる的な⁉

4歳6ヶ月のときの発言は入院していたときの記憶がすごく鮮明に語られている。

「イギリスのＴｏｍｏくんは、ムギンバパレス病院に入院してた。最初、部屋が空いてなくって13階の4号室が空いたから、お父さんとお母さんとお兄ちゃんと3人で、車に乗って行った。家から北へ１１５キロかかった。普通の道だと遠いし、高速で行った。お兄ちゃんは5才上だし、14才だった。病院では、お風呂みたいな所で粉のお薬を溶かし、マッサージしてくれる先生が居た。それでも治らなくて手術したけど、40度以上の高い熱が出て死んだ」。

こわいこわいこわい！「北」とか「１１５キロ」という距離感が（前世の人格で

ある）9歳児にあるのだろうか？　40歳児の私にはいまだにないのだが、こんなことが4歳のＴｏｍｏ少年の口から出てきたらこれはもう確定って思っちゃうんじゃないだろうか。

　決定打は4歳7ヶ月のときの発言である。Ｔｏｍｏくんが（ＪＲの列車事故を見て）「イギリスでもサウスウォールで、列車事故があった。TVで「事故です、事故です」と言ってて、列車同士がぶつかって、火も出た。8名が死んだ」。

　時系列と関西在住のことを照らし合わせると、おそらくＪＲの列車事故とはＪＲ福《ふく》知《ち》山《やま》線の脱線事故である。その報道を見て、イギリスでも事故があったといっているのだ。この発言、ニュースだったら調べられると思って父親が調べたところ、実際に１９９７年9月19日にイギリスで起こった列車事故のことを指しているものだった（サウスオール事故、というらしい。衝突事故で実際には死者は7名だった模様）。Ｔｏｍｏくんの証言を信じるとするならば、イギリスのＴｏｍｏくんが亡くなる1ヶ月前の出来事であった。このニュースを、イギリスのＴｏｍｏくんは病院のベッドで見ていたのだろうか。

　そのほかには、友達の名前をいったり、お兄さんが5歳差で存在するといったり、製薬会社の名前を答えたり、当時イギリスのその場所にいないと言えないであろうことを次々にいった。

「イギリスのＴｏｍｏくんはB型やった。弱くて運動とかできひんかって、やりたい事がいっぱいあった」、「イギリスのお母さんにあいたい」（涙ぐむ）。

なんかもうこっちまで涙ぐんじゃう。でも、B型かあ。マイペースならえに、弱くて運動できなかったのかあ、モテにくいなあ。と、B型の私が思ったのは内緒である。

発言は信頼できるのか？

こういう証言ばかりを集めたのならこれはレポートであって論文ではない。

この論文が学術論文であるポイントは、このように集めた当時のＴｏｍｏくんの発言集を、「記憶の強さを測る尺度」で測ろうじゃないかという試みをしているところだ。

約８００例の、世界中の子どもの「過去生の記憶」データというものが存在し、それらの真実性が数値化されている。このデータでの分析を通して、どれくらい信頼に足るデータなのかを測る22の項目でＴｏｍｏくんの発言をチェックしたのである。たとえば、死亡した人物と現在の人物の母斑《ぼはん》・先天性欠損だとか（Ｔｏｍｏくんの場合は死亡した人物は見つかっていないのでわからないが）、過去生に関する言及、過去生と関係するふるまいの有無、死亡した人物との共通点や関係など。

全体平均10・4のところ、Ｔｏｍｏくんの数値は「12」というやや高い数字を示したので、信頼に足るデータだそうだ。そんなことってあるのだろうか。
こうなれば、いよいよ裏を取るしかあるまい。こうして、家族はついにイギリスに行くことになる。

Ｔｏｍｏくんの希望は「イギリスのお母さんに会いたい」ということであった。そして、Ｔｏｍｏくんに記憶が残っているのはこの一念ゆえであろうということで、父親は調査も兼ねてイギリスにＴｏｍｏくんを連れて、イギリスのＴｏｍｏくんの家を探しにいった！

すると、本人の名前は実在するものの、エジンバラにはその名前での死亡記録はなかった。

また、名前と子どもがにんにくをむくのを手伝っていたということから、実家はメキシコ系か、メキシコ料理屋だろうということで、何軒かあるメキシコ料理屋は見つかったが、どれかに特定することはできなかった。飲んでいた薬（ＥＭＤ）などはあったが、「ムギンバパレス病院」という病院は確認できなかった。

いやもっと探偵みたいな人に依頼すればなんとかなるんじゃないの!?　とも端で読んでいて思うのだが、仮に特定できたとしてその子の親に、「この子があなたの子だといっています」といって信じてもらえるかどうか。国籍もちがうし、変な人が来たと思われるだけかもしれない。

しかも、もっともびっくりすることに、このＴｏｍｏくん、エジンバラに到着した翌日に「お母さんを感じた、絶対にここにいる」と発言し、このことをきっかけに、Ｔｏｍｏくんは「お母さんに会いたい」という気持ちに一区切りつき、過去生の記憶をなくしていったのであった。直接会うとかそういう物理的なことの前に、存在を感じちゃったのである。

かくしてＴｏｍｏくんの前世を確認する動機もなくなり、またＴｏｍｏくんも発言しなくなっていく。こうして彼のいってきたことは真実だったのかどうなのか、世間的には「子どもの空想」と片づけられてしまうかもしれないものになっていく。

しかし、だからといってこの一連の出来事を、このような論文という形で報告しなかったならば、将来的に解明されるかもしれない真実を導き出すヒントも世に出ないことになる。真偽はともかく、検討材料を提供するのも論文の価値である。

執筆者の大門先生によると、現在、自閉症やアスペルガー症候群として診断されている子たちのなかには、こうした「過去生」で達成できなかった願望を口にすることで「空想癖」と診断されてしまう子たちもいるそうだ。しかし、このＴｏｍｏくんのように過去の記憶をひきずる要因がわかれば、なんらかの方法で症状を緩和することなどができるかもしれない。

3歳くらいから、胎内の記憶のことを語りだす子がいるというのは、よく聞いたことがあるが、前世＝過去生の記憶も、聞きだすとあるかもしれないのでお年頃のお子さんがいる方は聞いてみてはいかがでしょう。

研究にタブーはない。「現象」を記述し、それがなぜ起きているのかという理由を、さまざまな角度から偏見なしで検討する。検討するには、材料となるデータが必要である。

それから善悪や真偽を議論すればよい。まさに、ここまでやってはじめて「信じるか信じないかはあなた次第です」といえるのだ。

それにしても不思議な気持ちになる。

高校生になったＴｏｍｏくん、いまは左手でにんにくをむくのだろうか。

番外編Ⅰ　偉大な街の研究者

▼誰でも研究者

研究は、なにも大学院に進学し、修士論文や博士論文を書いてどこかの組織に所属しなければできない、というものではない。

雑誌に掲載される論文は、所属がどうあれどこかの学会には所属しないと書く資格は得られないが、それだけが研究発表の場ではない。自分で世に問うために、いまはネットや、同人誌即売会に出店してみたほうが、研究論文よりも多くの人の目にとまる可能性が高い。つまり、いまは内容さえしっかりしていれば、だれもが研究者になれる時代である。

では研究とはなにか。ただなにかについて集めるのはコレクターだし、なにかについて思っているだけの「好き」という気持ちだけでは当然研究にはならない。

私は研究の要件を満たすには「体系的であるか」「検証が可能か」といった点にあると思う。

むろん、それが「人間とはなにか」「この世界とはなにか」「歴史的研究か（通時的）」「現在の研究か（共時的）」（詳しくは『ヘンな論文』コラム参照）という座標のなかにあれば、どんなものでも論文としての価値はある。

▼体系化された「片手袋」

近年、もっとも衝撃を受けた研究に、石井公二さんという方の「片手袋研究」がある。

この方は、街に落ちている片方だけの手袋を研究している。「片手袋大全」というサイトもあるのでぜひ一度ご覧になっていただきたい。とあるBSの番組に出演した際にVTRで紹介されていたのをキッカケに石井さんの存在を知ったのだが、その後いろんなサイトやテレビ番組でも紹介されている方なので、もしかしたらご覧になったことがある人もいるかもしれない。

サイトにはこう書かれている。「僕の肩書は〝片手袋写真家〟ではなく〝片手袋研究家〟です。片手袋の写真を撮るだけでなく、何故、どうして、誰によって発生するのか？ 十年近く研究を重ねてきました。分類図を始め、各種研究成果をご覧ください」と。ネタではなく、かなり本格的に研究したプロセスが「片手袋大全」では紹介されている。

いやいや、「片手袋」って。そんなの単なる偶然だし、そんなに高確率で街には落ちてないでしょう。サブカルかぶれのネタでしょうと思われるかもしれないが、決してそんな生易しいものではない。石井さんの片手袋研究への情熱は、もはや「執念」とか「業」とかいうレベルの「止むに止まれず感」がハンパない。

なにせこれまで研究してきている人がいない。今後もたぶんいない。需要もそんなにない。あるのは、この片手袋をなにかに取り憑《つ》かれたようにひたすら探し続け、写真を撮影し、「その写真、自作自演なんじゃないの？」とか「さすがにこれ加工したでしょ」とかいう偏見なんかまったく意に介さず、そこに手袋を使った人や拾ってどこかにかけてくれた人の「想い」を読み取ろうとするひとりの男の情熱と、その姿こそエンターテイメントとして楽しむ人たち。「世界は広い」と感じさせてくれる、この世界の片隅に、ひっそり落ちている片手袋に感情移入しまくる「生き方」そのものだ。

この図をご覧いただきたい。

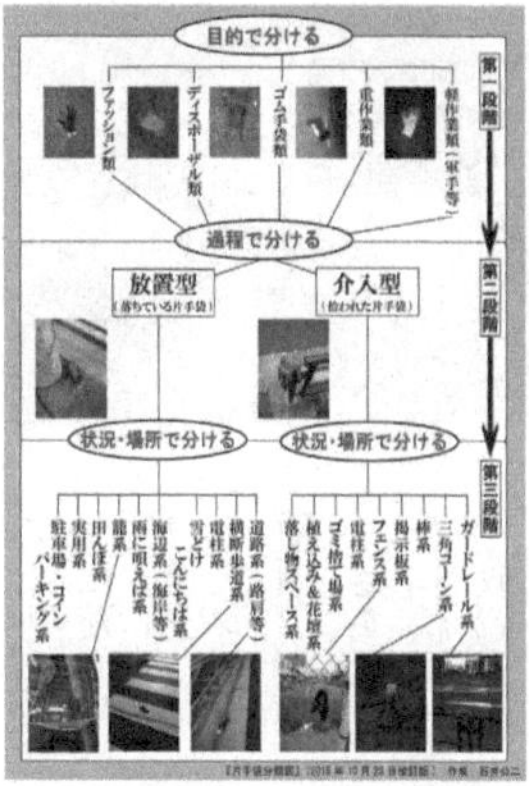

分類しちゃったよ。

彼の研究の手続きとしては、まず道に落ちている「片手袋」を目的別に分類する。それは、業務用なのか、ファッション用なのか。業務だとして、どんな業務用なのか。「軽作業」と「重作業」に分けて手袋を分類したことは石井さんも苦労したところだろう。

次に、なぜ道に落ちていたのかという「過程」で分ける。これは代表的なとこ

ろだと、なにかをポケットから取り出すときに落ちてそのままになっている「放置型」と、だれかが落とした手袋を別のだれかが拾い、探しにきた落とし主が見つけやすいようにガードレールのポールに刺しておく、などする「介入型」の2種類。

さらに、その「放置型」「介入型」別に、その手袋がどんな「状況・場所」にあったかということを分類する。

放置型には、「道路系（路肩等）」「横断歩道系」「電柱系」「雪どけこんにちは系」「海辺系（海岸等）」「雨に唄えば系」「籠《かご》系」「実用系」、

介入型には、「ガードレール系」「三角コーン系」「棒系」「掲示板系」「フェンス系」「電柱系」「植え込み系」「ゴミ捨て場系」「落し物スペース系」、

がそれぞれある。もう笑うしかない。

電柱のそばに落ちている手袋が、放置されたままのものなのか、それとも介入してその場に置かれているものなのか、そこを見極めるのがプロの片手袋研究者の腕の見せ所だろう。

無防備に落ちているのではなく、明らかにだれかの「意図」が感じられる存在の仕方をしていたら、それは介入型となるのだ。

石井さん自身の悩みも尽きない。サイトの注意書きにはこう書いている。

放置型、介入型の注意点は、この分類はあくまで「片手袋観察者の主観的分類法」である、という事です。つまり、観察者が片手袋を発見した段階で放置型だったとしても、その後、誰かが拾ってあげて介入型に変化する可能性もあります。

そうなのだ。「どの時点で自分が発見したのか」がわからないということなのだ。片手袋が落ちてすぐのときなのか、その後だれかが拾って介入した後なのか。あるいは、落ちて、介入して、持ち主が気付いて持って帰ったあとだとしたら、それこそ一番観察したいのだろうが、それって「なにも見つからない状態」なので、街のすべての場所がその可能性を秘める場所になってしまう。人からの批判はどうでもいい、自分にだけは嘘をつきたくないんだという、説明のしようのない「苦しみ」みたいな感情が伝わってくる。だって本当は一緒に研究する同士でありライバル、そしておなじ目的を共有している人たちと侃々諤々《かんかんがくがく》できればいいけど、そういう人すらいないんだから、批判なんてそもそもないいんだもん。

この分類表を、10年以上かけてひとりで作り続けていたというのだから、生半可な

覚悟ではない。やりだしたら止まらなくなっているという、もう自分でもなんのためにという「目的」なんかどうでもよくなっている感じがストレートに伝わってくる。

研究の最初に、二つ揃いの手袋から、右用と左用の手袋がどれだけ離れたら「片手袋」になるのか、という「片手袋の定義」をしているところは、もはや研究者の常習的な行動なので見逃せない。ある一定の量を観察し続けると、まずはその対象を「定義」する必要がどうしてもでてくる。「子ども」なら何歳から何歳までを子どもとするのか。あるいは年齢ではなく心のありようや行動で定義するのか。それと同様に、どの段階からが「片手袋」なのか。自問自答する様子が、しみじみとおかしい。

このように研究の成果を小冊子にまとめたり、サイトで紹介したり、ブログに写真をアップしたりして日々過ごしている石井さん。「東京別視点ガイド　「片手袋は呪い」なぜ道路に手袋が落ちているのか。その道30年、片手袋研究家に聞いてきた」(URL：http://www.another-tokyo.com/archives/50548685.html　閲覧：2017年時点）というところでインタビューに応《こた》える石井さんは、片手袋を意識したキッカケについてこう語っている。

—そもそも片手袋に注目しはじめたのは、いつからですか

石井さん（以下、石）：小1のころに「てぶくろ」って絵本を読んでからなんで、30年になります。

おじいさんが落とした片手袋に、雪降る森の動物たちが入りこもうとするってお話しなんですけど。

これ読んで、その直後に町に落ちてる手袋を見つけて「あ、ほんとにあるんだ！」って、ぼんやりと意識しはじめたんです。

これからずっと意識はしていて、大人になってから携帯などで手軽に写真を撮ることができアーカイブ化していけるようになってから、分類をしだしたそうだ。

これまで見てきたように、この研究はしっかりと「体系化」されている。すべての片手袋がどのように落ちていたのかを、この分類表のなかに当てはめることができるからだ。

「体系化」というのは全体像を見渡せていて、ひとつのサンプルを全体のなかで「位置づけ」ができる、という意味。もちろん、研究者にとってその分類の方法はまちま

ちだろう。材質で分けたいという研究者もいるかもしれないし、「介入」の在り方に、「優しさ」があるものと「便宜上仕方なく」があるもの、があるからそこを分けたい、と考える人がいるかもしれない。「片手袋学会」があるならば、おそらくそういうところが議論されるだろうし、「手袋を片方落とし、そして探しに行って見つけて拾った経験がある人」を集めてインタビュー調査したいという全く別アプローチの研究もあっていい。片手袋を落とす人の性格分析などをしてみるとか、人生で手袋を片方落とす回数は平均してどれくらいかなど、今後片手袋研究は広がっていく可能性を秘めている。それもこれも「体系化できる」が前提にあるからである。「個別サンプル」を普遍的な座標のなかに位置づける。これが研究の醍醐味《だいごみ》でもある。研究者としては、この座標ができあがったときが一番気持ちいい。もう「こういうサンプルが現れたらどこに分類しよう」と不安になって寝れなくなるという恐怖を味わうことはない。

現在、石井先生の次の研究テーマは、「片手袋」が出てくる作品研究にも広がりつつある。原初体験であった絵本を読んだことから、絵本以外にもいろんな書物や映像作品などのなかで「片手袋」が現れるものを探している。これがまたけっこうあるのだ。こうなると、ひたすらしらみつぶしにあたるしかない。苦行である。

しかし、やむにやまれずしてしまう「苦しみ」を表現する手段として「研究」があるのかもしれない。最高に贅沢《ぜいたく》な自己満足、エンタメ化された修行。これこそが「ヘンな論文」ではなくてなんであろう。石井先生の今後の活躍にもぜひ注目してほしい。

こういう研究してます、と表現し続けることで、自分で探すよりも「この本に片手袋出てましたよ」と情報提供者が現れたりして、片手袋のほうから寄ってくることもある。情報は発信者にこそ集まるものだ。

ちなみに石井さんは、会社員だ。社会生活を送れている人で本当に安心した。

（参照サイト：石井公二さん「片手袋大全」http://katatebukuro.com/index.html）

▼「検証された」メロスのスピード

続いて衝撃を受けた論文は、２０１３年度に一般財団法人理数教育研究所が開催した「算数・数学の自由研究」作品コンクールで最優秀賞をとった、中学二年生の村田一真くんの論文「メロスの全力を検証」だ。理数教育研究所では２０１３年度から全国の小中高校生から算数・数学の自由研究を公募し、優秀な作品をＰＤＦなどで公開している。

そのなかでも衝撃的なのが、「メロスの全力を検証」だ。

いかにも中学生らしい直筆の論文だが、中身は大人でもできないようなものばかり。立派な検証が行われている。

太宰治《だざいおさむ》『走れメロス』は、勇者メロスが暴君との約束を守り、３日以内に遠くに嫁いだ妹の結婚式に出席し、帰ってくるまでの物語だ。しかし、メロスのスピードを計測することなど、できるのだろうか。

　これにはまず原作の読解力が必要だ。読み込む力こそ、想像する力。10里（約39キロ）の道という記述から、そこを往復したとして、何時に家を出発し、何時くらいにどこに着いたのか。どういう場面に遭遇し、どういう行動をとったかなどをまとめて、距離や行動とそれにかかった時間などを一覧化したのが次ページの図だ。

「3．メロスの足取り検証結果」と題されたこの図は、往路10時間、復路15時間で、天気という変数も考慮にいれ、道の状態や山道などの変数は不確定ながらも、それほどメロスは速くない、というか、ほぼ歩いていると推定。道の状態などが比較的安定している平地や野などでも、平均時速2・7キロくらいだと計算している。

　なぜそういう計算ができるのか。本文を引用したい。

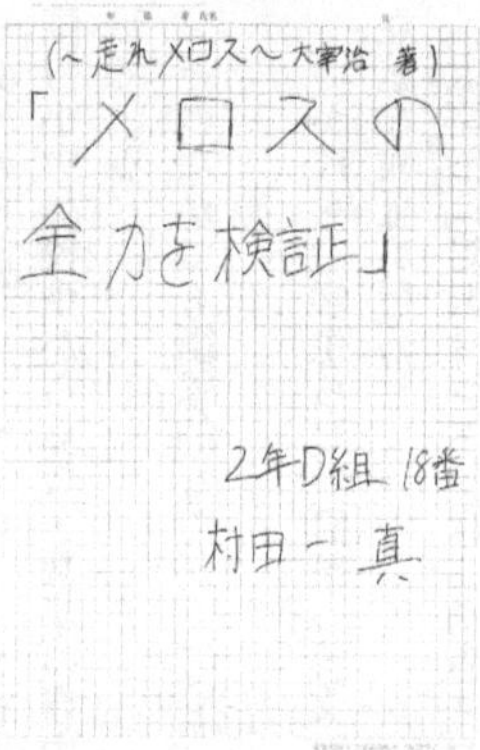

手書きで気合いが伝わってくる。

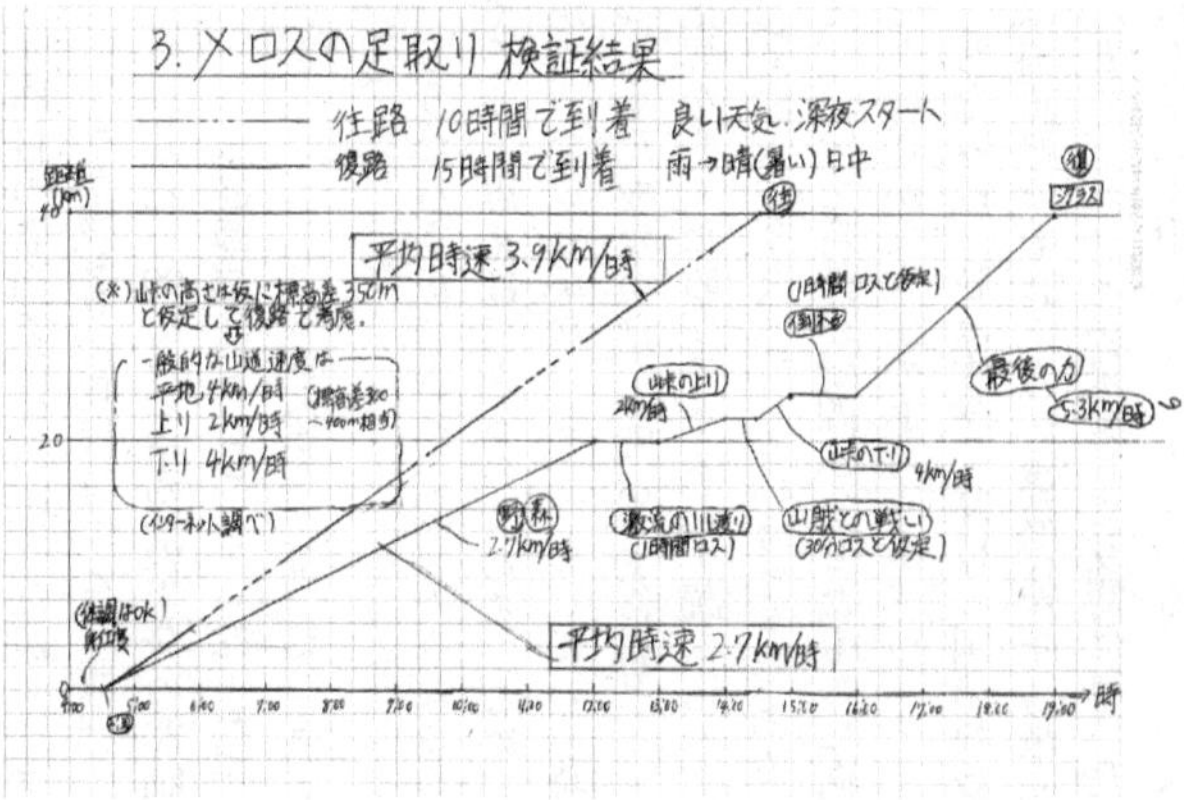

カッコよすぎる検証。モテる！

3日目

［スタート地点］

・「目が覚めたのはあくる日の薄明のころ」との記述⇓初夏なのでほぼ夏至の頃の日の出時間少し前と推定

イタリア南端は北緯38°付近で日本の仙台とほぼ同じ。今年の仙台の夏至の日の出日の入りは、

〝日の出〟 4時12分

〝日の入り〟 19時4分 だった。

よって目覚めたのは⇓04：00AMと推定

・朝になり、雨は小雨となった。

・「悠々と身支度を始めた」

⇓出発は⇓04：30AMと仮定

［時・距離：中間地点］

・「全里程の半ばに到達した頃、

昨日の豪雨で川中の橋げたがこっぱみじん」
・「太陽も既に真昼時」との記述。
⇒12：00には全里程の半分の20㎞に到達していたと推定
平均時速＝20（㎞）÷（12－4.5）（時間）
＝2.666…　＝2.7（㎞／時）……遅い？

どうだろうか。大人の読者のみなさんはこんなことを考えたことがあっただろうか。やろうと思えばできるのである。この、「みんなが見聞きしていたもの」で「みんながやったことがないこと」をしている時点でこの研究は歴史的価値があるのだが、もっとも重要なのは、「問い」を自分で立てたことと、その「問い」になんとか自分で正解を導くためにテキストを読み込み、算出の手がかりを探そうとしたことである。「検証」するとは、こういうことである。問題として出されたものを解くのではなくて、自分で自然と疑問が生じたものに向き合う。この生き方が人生を幸福に導く。どんなに豊かな人生であろうか。

ちなみに、私は中学・高校の国語科教員免許を取得したのであるが、『走れメロス』は国語科でも教え方が複数存在する単元として有名で、「メロスの行動をまとめる」ことで、メロスが果たして友情に厚いだけの男なのかどうか、ということを考えてもらう単元を用意する先生もいる。テキストを読み込み、実際には身勝手でわりといい加減な人物だったのではないか、とする説である。このような読み込みの授業を通して、メディアなどの情報も自分で読み込む力を養うのであるが、国語で考えたことを数学で検証することもできる、というのがこの研究の示唆するところ。つまり、「疑問」は教科を越境する。学部や研究領域を軽々と飛び越えてくる。

解釈や作家の人生をぐずぐず言っている文学研究も素晴らしいのだが、そういう人たちが考えもしなかったアイデアで切り込んだこの論文は感動的だった。

ちなみに、メロスはピタゴラス教団という、数学者ピタゴラスの作った教団の教徒だったとされている。古代、数学的真理は神に選ばれたものが知ることができるものだとされてきた。数学と宗教はつねにともにあったとさえ言っていい。そんなメロスの行動を、数学で検証するということも、どこか象徴的で印象深い。

この論文が話題となったのか、翌年には「黒田官兵衛の水攻めを徹底検証！」などといった研究も最優秀になったりと、子ども研究者たちの発想力も刺激的だ。書籍にもまとめられているのでぜひ読んでもらいたい。

（参考サイト：ねとらぼ http://nlab.itmedia.co.jp/nl/articles/1402/06/news071.html 「走れメロス」は走っていなかった⁉　中学生が「メロスの全力を検証」した結果が見事に徒歩）

参考文献：理数教育研究所 Rimse 主催、根上生也監修（２０１４）『数学の自由研究（全2巻）―第1回作品コンクール優秀作品集』（文研出版）

▼私の祖父

最後に紹介したいのは、私の祖父だ。

自慢ぽく聞こえてしまうかもしれないが、私の祖父は二人とも研究者気質で、父方の祖父は言語、母方の祖父は仏像の研究をしていた。研究をしていた、といっても大学に勤めているわけではなくインディーズの研究者だ。二人ともお堅い銀行員としての生涯を送ったが、趣味として個人の研究を続けていた。

母の実家は奈良だ。そして祖父は、土地柄か仏像の研究をしていた。晩年は薬師寺《やくしじ》の金堂・大講堂の修復資金を集めるために「百万塔」という、木製の五重塔のミニチュアにお経が入っているグッズを売ってそれを修復事業としてまとめていた。

とはいえ、明治《めいじ》生まれで、生まれたときからお父さんが戦争で亡くなっていたという母子家庭だ。それでも現在の京都大学にまで通ったらしいので当時としては無駄にインテリだったのだろう。

そんな祖父はまったくもって無口な人だった。いつもタバコを吸いながら、ひとりでトランプをしているという、手を動かし頭を使い続けている姿が印象的だ。

しかし、そんな祖父には日課があり、毎日、新聞の「歴史」にまつわる記事を切り抜き、スクラップブックに貼り付けていた。とくに京都・奈良界隈の歴史の記事についてほぼすべてだ。そして本棚にはそんな切り抜きのスクラップが何冊もあった。当時はまったくその行動が理解できずにいたが、ずっと「最新の研究」を追っていたのだろう。

　死後、蔵からこんな本が出てきた（左の写真参照）。

祖父が書いた本だった。奥付には昭和二十三年と書いてある。戦後すぐじゃないか。なにをやっとるのかね。

　祖父は鎌倉《かまくら》時代初期の仏像の研究をしていたらしいが、必要に迫られてか、藤原《ふじわら》文化についてまとめていたらしい。おそらく限りなく同人に近い活動ではあったのだろうが、当時は仏像研究はそれほど盛り上がっていなかった。大学に籍を置いていなくても、研究意識を持った人たちが集まって学会を開催していたようで、祖父も出入りしていたらしい。その時代からずっとおなじことをしていたようだ。

　郷土史家ってどの市区町村にもいるものだ。自分の生まれた場所やルーツを徹底的に調べていく人間。そういう人の面倒くささたるやないのだが、しかしそういう人がいないとその土地のことは50年前のことすらまったくわ

からなくなってしまうのだ。祖父はそんなこともしていた。とにかく私は二人の祖父の本棚に囲まれたところから人生がスタートした。なので人は知りたいものを知るものだと思っていたし、それに肩書は関係ないと思っている。

なにが言いたいのかというと、この本を読んだ人には、ぜひ人生をかけた研究テーマをひとつはもってほしいということだ。「えー、無理無理」と思うかもしれないが、だれでもできるのである。世の中にやっている人がたくさんいることでもいいし、それで一番にならなくてもいい。

「こんなところに片手袋が出てましたよ」という情報提供者になってくれたらいいのだ。それも研究に携わっていることにはちがいないのだ。

大人になり、大学にもう一度いって授業受けたいなとか、研究してみたかったけど就職しちゃって、とかいう人はたくさんいると思う。しかし、私がここで紹介したインディーズの研究者たちのように、研究はどんな人もできるし形にもできる時代なんだということをぜひ知っておいてもらいたい。

いまは価値がなくても、必ずそれを必要とする人が100年後くらいにはひとりくらいいるものだ。

勇気をもらえる研究である。そして、研究者は焦ってほしい。こんな研究をしている在野の士がいるのだと。

八本目
鍼灸はマンガにどれだけ出てくるか

有馬義貴ほか(2012)「マンガの社会学：鍼灸・柔道整復の社会認知」
『健康プロデュース雑誌』第6巻第1号

マンガも研究になる

マンガを読むのが好きな人はこの本の読者のなかにもいると思う。中学高校でマンガばかり読んでお父さんやお母さん、先生に注意された人、いませんか？ 大学とか入っちゃってなに研究したらいいかわからないから、とりあえず横になってマンガでも読もう、と思っている人、ちょっと待って。マンガ読むことだって研究になるんだよ、という論文を紹介しよう。

もちろん、マンガに限らずアニメやポップカルチャー全般、すでに研究して論文にしている人たちはたくさんいる。作品の解釈論や映像論など、作家論など、それこそ文学研究や小難しい理論で読みといて、これまで研究に値しないものと見下されていた文化を、考察するに値するものとわかってもらうためには、そういった研究も必要だ。しかし、まったく別の切り口で「マンガを読む」ことだって立派な研究になる。そういうことを教えてくれる論文だ。

本論文は、有馬義貴、中澤寛元、沢崎健太、和歌秀典、木村啓作、真鍋和親、内藤恭久という総勢7名によって発表されている。これほどの人数が必要な研究とはなんだったのだろうか。

論文には、だいたい冒頭に「要旨」というのが書かれている。言いたいことはここに詰まっているが、「果たしてそうか？」「なんでそれがわかったの？」という人を説得するために本文がある。だから、要旨を読めばだいたいのことはわかるお手軽さがある。要旨を引用しよう。

鍼灸の社会的・学問的地位は明治以降に凋落したが、近年において国家資格化や大学化により回復の傾向を見せている。その鍼灸の現代日本での社会認知について、マンガ１０１５タイトル（１０４２１冊）を対象として調査を行った。その結果、鍼灸に関わるものは14タイトル（１・３％）、経路経穴に関わるものは９タイトル（０・９％）、接骨に関わるものは３タイトル（０・３％）が確認された。このことから鍼灸・柔道整復の正確な社会認知は未だ十分とはいえない状況にあるが、描画シーンの傾向からスポーツ分野で期待されていることが示唆された。

だいたいわかりましたよね。一瞬「えっ⁉」と思いませんでしたか？　そうです。「マンガ１０１５タイトル（１０４２１冊）」ってサラッといってのけてますけど、それ全部読んだってことですか⁉

ビックリして本文を読み始めると、「方法」というところにこう書いてある。「マンガ1015タイトル（表1）（合計10421冊、連載終了651タイトル6225冊）を閲覧対象とした。その中で鍼灸について描画しているタイトルもしくは用語を使用しているタイトルを抽出し、原作あるいは原案者、作画者、掲載雑誌、掲載期間、内容および描画シーンのあらすじを記録し、ストーリーの舞台背景から時代分類した。その他、経路経絡、柔道整復（接骨・整骨）についても同様に調査を行った」と。なんて泥臭い研究だろうか。これ7人がかりでも、ひとりあたり1488冊読む計算なんですけど！　そうか、それで7人も必要だったのか。一冊読むのに30分かかるとしても744時間、10分で速読しても248時間、計10日。おいおいマジかよ。研究しろよって、これ研究だったたか。

「表1　閲覧確認を行った漫画のタイトル」だけで、4ページにわたる異様な論文である。

とはいえ、たしかに鍼灸《しんきゅう》を知るキッカケは、若い人のまわりにはなかなかない。20歳以上の国民のなかでも、鍼灸を経験したことがある、という人は6%から7%。でも、いま鍼灸はひとつの国立大学（筑波《つくば》技術大学）と10以上の私立大学（2016年時点）で学べる学問にもなっているし、もっと啓蒙《けいもう》してもよいのではないだろうか。

【はじめに】

日本における鍼灸に関わる歴史は、大宝律令において医師と鍼灸従事者の養成を行うために設けられた典薬寮に鍼師、鍼博士、鍼生が置かれたところから医療の一翼を担う地位としてはじまり、江戸時代には漢医の中でも権威的な地位を占めるまでに社会的地位を高めていた[1,2]。その地位は医学の主流を伝統医学から西洋医学へ移行する政策である1874年の医制（明治7年文部省達）発布を期として衰退し、地方庁による営業免許（鑑札）となった。しかし、1947年に都道府県知事による身分免許となり、1992年より厚生大臣による国家資格（厚生免許）となったように、その社会的地位は回復傾向にある[3]。

一方で学問的地位は、1978年に鍼灸の短期大学、1983年に4年制鍼灸大学が設置され、1991年に大学院修士課程、1994年に博士課程が認可され、2011年4月現在では9つの私立大学と1つの国立大学が存在するまでとなっている。

このように社会的・学問的地位は回復傾向にあるが、2005年に行われた明治国際医療大学の矢野らの調査によると20歳以上の国民における鍼灸の経験者は6～7%であり、現行 [illegible] いると はいいがた

↓ここから

一方で1998年の福岡地方裁判所における判決後、2000年に養成施設指導要領が改正され、あん摩マッサージ指圧師、はり師、きゅう師等に関する法律（以下：あはき法）第19条の解釈を拡大して認定規則の条件さえ満たせばはり師きゅう師養成校の設置を認める方針に転換されたことを機に、鍼灸養成校は急激に増加している。それに伴い、鍼灸業界では学生数の確保が問題となり、鍼灸の社会的認知のさらなる向上が求められている。

そこで、「マンガ」を通して日本社会のいわゆる若者が鍼灸をどのように認識しているかについて調査を行った。

【方法】

マンガ1015タイトル（表1）（合計10931冊、連載終了651タイトル6225冊）を閲覧対象とした。その中で鍼灸について掲載しているタイトルもしくは用語を使用しているタイトルを抽出し、原作あるいは原案者、作画者、掲載雑誌、掲載期間、内容および描画シーンのあらすじを記録し、ストーリーの舞台背景から時代分類した。その他、経絡経穴、柔道整復（接骨・整骨）についても同様に調査を行った。

表1 閲覧確認を行った漫画のタイトル

[illegible]

26

27

[illegible]

↑ここまで

表2 keywordに関連する漫画のタイトル

keyword	時代	漫画のタイトル	掲載期間	戦闘・スポーツ
鍼灸	三国志時代	蒼天航路	1994年～2005年	
	戦国時代	戦国ゾンビ 百鬼の乱	2008年～2010年	○
	江戸時代	仕掛人 藤枝梅安	2002年～連載中	
	幕末	SIDOOH/士道	2005年～2010年	○
	昭和	ブラック・ジャック	1973年～1983年	
	現代以降	お鍼子	1994年～2003年	○
		銀指からロマンス	2003年～2007年	
		守ってあげたい 鍼灸師・悠子の初恋	2009年～2010年	○
		夢喰いメリー	2008年～連載中	
		史上最強の弟子ケンイチ	2002年～連載中	○
		腹腔ノート退魔針、魔針胎動篇	1995年～2004年	○
		愛気	2004年～連載中	○
		闇金ウシジマくん	2004年～連載中	
		プリプリ	2002年～2008年	
経絡経穴		蒼天航路		
		銀指からロマンス		
		守ってあげたい 鍼灸師・悠子の初恋		
		天の覇王 北斗の拳ラオウ外伝	2006年～2007年	○
		銀の聖者 北斗の拳トキ外伝	2007年～2008年	○
		蒼天の拳	2001年～2010年	○
		金剛番長	2007年～2010年	○
		拳児	1988年～1992年	○
		ウルトラレッド	2002年～2003年	○
柔道整復	現代	少女ファイト	2006年～連載中	○
		史上最強の弟子ケンイチ		○
		夢喰いメリー		

【結果】

1015タイトル中、鍼灸に関わる内容が掲載されていたのは蒼天航路、戦国ゾンビ、仕掛人藤枝梅安、士道、ブラック・ジャック、お鍼子、銀指からロマンス、守ってあげたい、夢喰いメリー、史上最強の弟子ケンイチ、腹腔ノート退魔針、魔針胎動篇、愛気、闇金ウシジマくん、プリプリの14タイトル（1.3%）であり、そのうち現代以降のものは9タイトル（0.9%）であった。経絡経穴に関わる内容が掲載されていたのは蒼天航路、銀指からロマンス、守ってあげたい、天の覇王、銀の聖者、蒼天の拳、金剛番長、拳児、ウルトラレッドの9タイトル（0.9%）であり、接骨に関わる内容が掲載されていたのは少女ファイト、史上最強の弟子ケンイチ、夢喰いメリーの3タイトル（0.3%）であった。

また、鍼灸・経穴・接骨に関わる内容が掲載されたタイトルの総数は22タイトル（2.2%）であった。

28

29

こんな論文のスペースの使い方はじめて見たわ！

じゃあ、若い人にとって唯一鍼灸と触れるかもしれないメディア、そうだ、マンガだ！　となったようだ。……というのはあくまで表向き、実はマンガ好きが集まってこういう論文の形にしたのではないかとひそかに思っている。だって、好きじゃないとできないもん。みなさんにはこうして「好きなもの」を「研究」という形に変換して論文に残す、という大義名分の作り方を知ってもらいたいのだ。これだって立派な論文なのだ。

それで、要旨を読んで1・3％⁉　少なっ！　と思った人も少なくないはず。そのうち、現代が舞台のマンガに出てきたのは、0・9％。ついに1％未満でしたか……。14タイトルということなので、1001タイトルが無駄になったというわけだ。経路経穴、接骨を合わせても2・5％だから、残りの97・5％のマンガは、ただ読んでそのまま。おいおいマジかよ、その時間なんにもならないのかよ。

しかし、研究というものはえてしてこういうものなのだ。みなさんが日々目にする研究の成果とは、無駄になったりしたサンプル、あるいは「なかった」ということを確認したサンプルがこれくらい大量にあるなかで、かろうじて「あった」「みつかった」もの、つまりここでいう1・3％だけを結果として享受しているに過ぎない。今この瞬間にも、「ない」ということを確認している研究者が、この世界にはたくさんいるのである。それなのに、結果だけを享受してああだこうだいうのはあまりに身勝手、ぜひそのプロセスを考えてほしいのである。

さて、そんな地道すぎる調査の結果、鍼灸に関する描写があった14タイトル。選ばれし精鋭である。この14タイトルに、中国4000年の歴史の鍼灸の未来がかかっているといっても過言ではない！　どんなタイトルだったか、例を挙げると、有名なもので『蒼天航路』『仕掛人藤枝梅安』『ブラック・ジャック』『奈緒子』、新しめのマンガだと『夢喰いメリー』『史上最強の弟子ケンイチ』『闇金ウシジマくん』などだ。どうだろう、けっこうなメジャータイトルではないだろうか。経絡経穴（ツボ）に関しては、『北斗の拳』とかも挙げられているんだけれど、こういったマンガがもしなかったとしたら、鍼灸がどんなことをするものなのかも、知らないで育ってしまう人が増えるはずなのだ。

意外な記述も……

この論文がおもしろいのはさらにここからだ。なんと、その14タイトルに関して、実際にどういうシーンがあるのか、ということをひたすら記述しているのである。たとえば『蒼天航路』というマンガなら、これは三国志のなかでも曹操《そうそう》を主人公にしたマンガで、1994年から2005年まで連載されて、26巻の第何章に、周瑜《しゅうゆ》が自分で自分に鍼と灸をうつシーンがあるよ、とか、別の章では曹操の左胸に5寸（約15センチ）の針を刺入《しにゅう》しているとか、そういうことを記述している。

これだけでもたまんない時間の使い方なのであるが、なかにはあんまり知らない作品で、そんな出方するのかよ！　というのもある。

たとえば、『戦国ゾンビ』というマンガ。なんだかタイトルからしてすごいのと、内容の想像がつくのだけれど、念のため紹介しておこう。

日本の戦国時代を舞台として、武田《たけだ》方の護衛集団をメインに描いている作品らしいのだが、彼らが「織田・徳川連合軍と突如現れた生ける屍であるゾンビが入り乱れる中を敗走する武田勝頼の子息・信勝に扮する紗羽姫を守りつつ撤退する甲斐の赤揃え選抜護衛集団・赤葬兵を主人公格として描いた話」だそうだ。もうなにがなんだか全然わかんないよ！　連体修飾が多すぎて、何度か読み直さないとわからない。よく単行本、全5巻も出たなあ。というかよく連載が5巻ぶんも続いた！　もはや読みたい。

で、このマンガにどう鍼灸が現れるかというと、「第2巻「第九葬の章」において、他の赤葬兵とはぐれた土屋正直が、ゾンビは噛まれることで感染して発病している状態であることに気が付き、ゾンビに噛まれた手と膝に局部的な麻酔を鍼によって施すことで病の進行を抑えるシーンが描かれていた」らしい。よく2巻まで読んだよ。そしてこのシーンを見逃さなかったよ。鍼《はり》に麻酔効果があったなんて。

　こういう感じですべての出現シーンを記述していくスタイルの論文である。

『親指からロマンス』という作品は、概要を読むだけで読みたくなったマンガだ。「現代日本の高校を舞台とし、凝っている部位が擬人化されたツボーズとして見えるマッサージ研究会期待の星である東宮《とうぐう》千愛《ち あき》を主人公とした学園コメディである」、そんなバカな。「ツボーズ」が見える女子高生って。というか、そもそも私の知っている学園コメディに、マッサージ研究会ってのは存在しないぞ。これは読むしかないだろう。しかも彼女は、男の子に対しては究極の奥手なのだそうだ。気になりまくりである。

　調べたところ、『花とゆめ』に連載されていたバリバリの少女マンガで、「癒《いや》し系マッサージラブコメディ」だそう。そんなジャンルはありません。耳かき専門店かよ。ある男の子の「背中」に一目惚《ぼ》れしたところからはじまる恋愛模様らしい。全9巻。意外と長期連載だ。この少女マンガを読む、大学の研究者たちの姿を想像するだけでも、たまらない気持ちになる。

　論文では、「日本では無資格者のマッサージ業は『あん摩マッサージ指圧師、はり師、きゆう師等に関する法律』によって禁じられており、高校生がマッサージすることは現実的ではないがあくまでもフィクションであると第1巻第2話の枠外に著者の手書きの注意事項が書かれていた」と、コメントしている。いやもう、少女マンガの枠外の、著者の手書きメッセージまで細かく読んでいるなんて。そうとうなマンガ好きだよ。

「マッサージの漫画であるため、ツボについての取穴法や効能を交えた紹介が随所に確認でき、第5巻第24話では大貫マッサージ学校での鍼灸理論、大貫式スペシャル授業の受講風景が描かれ」ているらしい。専門家による本格的な分析が突如として論文に現れるので、いままで私同様マンガ好きのボンクラが書いてるのだろうと油断していると、いきなり背筋が伸びる。「また、第26話の枠外に温灸、円皮鍼、隔物灸が紹介されていた」、と結ばれていた。相変わらず枠外にも目を光らせているようだ。ちなみに、「円皮鍼」「隔物灸」がなんなのか、まったく記述されてはいない。

『闇金ウシジマくん』は有名なマンガだが、基本的には闇金融を扱ったマンガで、鍼とか出てくる余地ないけどなあ、と思っていたら出方を記述している箇所があるので抜粋して紹介したい。

池田という登場人物が出てくるらしい。その人物と鍼灸がどう関わるか。

「第1巻「第5話バイトくん」の章において、自らを高く評価し、他者を生きている価値のない人間と見下して捉えて、天才である自分にとって高校は行く意味のないところと考えて退学し、親の小言から逃げて週4日のバイトで生計を立てるが、バイト代はパチスロで消え、親からの仕送りで足りない分を消費者金融で借りる癖が付いたまま30歳になる池田が、ついに消費者金融の利息分すら払えなくなり、闇金の融資を受けてパチスロで一瞬アタリを出したときに発した台詞として、「パチプロになろう！　金を貯めて鍼灸師の資格も取ろう！」と書かれていた」。

セリフだけかい！　しかもとんだダメ人間のセリフである。パチプロを目指す人が目指す職業でもないと思うが。しかし手に職をつけたいと思った人が身につけたい技術として描かれている、ということだろうか。しかし池田は唐突に資格目指したなあ。気になるのは池田がどこで鍼灸のことを知ったのか、ということだが、それは『闇金ウシジマくん』には描かれていない。

例に挙げたセリフや、ほかのマンガでも通信教育で資格が取れるような書き方がされているのもあり、この論文では鍼灸師が、簡単になれる職業かのような印象がもともとあるのではないか、など鍼灸の社会的なイメージを分析して問題意識を深めている。このあたりはもっともらしい。なにかのイメージを客観的につかむためには、自分たちのまわりの印象論で調査するのではなく、なにげなく描かれたマンガなどでの描かれ方を証拠にしていく、というスタンスである。分析するときに、このような

「証拠探し」をするのは、泥臭く、時間もかかるので敬遠されがちで、素人だとネットで検索した範囲でなにかをいってしまいがちだが、このように商業誌で描かれているもの、というのはひとつの証拠としての力が断然ちがう。編集者の目を通って、社会的な商売になると判断されたメディアのなかに登場しているものと、需要があろうがなかろうが、だれでもが投稿できて、また削除もできてしまうネットなどでは、社会的な承認の精度がまるでちがうのである。だから、検索するよりも労力はかかるが、得られた結果は決して無にはならない。

『金剛番長』というマンガのあらすじはすごかった。「現代日本を舞台とし、私立雷鳴高校の転入生である金剛番長こと金剛晄が、父と兄の日本再生計画を阻止すべく、番長たちと戦う話である」、と書かれているのだが、なんのことやらさっぱりわからない!

で、このマンガに出てくる「サソリ番長」という人が使う武術が、鍼灸を取り入れたものになっているらしい。なんだよサソリ番長って。刺すってだけじゃないか。

「父と兄の日本再生計画」のほうが気になる。どんな親子だよ。

『Ultra red《ウルトラレッド》』というマンガは「現代の日本を舞台とし、一人で大勢の敵を倒すための古流武術である皇流武術のうち関節破壊を追求した破傀拳を使う主人公の中学生のもう。

皇閃」って、中学生がそんなことしちゃダメだよ！「皇閃が世界最強になって生き別れた父に会うことをめざし、様々なライバルと戦う話である」、急に大味な展開だもう。

ちなみに、論文を精読していたら、この『金剛番長』と『Ultra red』は、おなじ鈴《すず》木央《きなかば》先生という漫画家によるものだった。なんか14タイトルのうち、2つをひとりの先生が書いているなんて、ちょっとずるいぞ、と思う。

このように、マンガに出てくるすべての鍼灸シーンを検討していったこの論文。鍼灸が、東洋医学や武術との関連性が高い描写があるので、マンガ家の先生たちも含めて、鍼灸に対して「神秘性」だったり、「未知なる効果への期待がある」とか、イメージを分析している。

スポーツ系マンガの場合

また、スポーツマンガでリハビリシーンだったり、治療シーンがでてくるので、スポーツというジャンルで鍼灸が期待されている、というのもわかったようだ。

『守ってあげたい　鍼灸師・診子の初恋』という、そのものズバリのマンガもあったようだが、このマンガでは主人公の42歳独身鍼灸師の診子は、「女性でも一生できる仕事として選択した」と、鍼灸という職業について述べているらしい。この論文は、最後の3行をこう締めくくっていた。

最後に、「守ってあげたい」の渦森診子が「女性でも一生できる仕事」として鍼灸を選択したことは、鍼灸の社会認知向上へのキーワードの一つとなると考えられた。

1万冊以上読んでこの3行の結論である。

こんな論文、マジで時間の無駄、なんの役に立つのと思う方も大勢いると思う。でも、あまり知られていないジャンルがどう受け止められているか、ということを客観的に調べたとき、まずこの「調べた」というプロセスこそが結果になっていて、結論じみた最後の3行はおまけにすぎないことを理解していただきたい。

たとえば、今後50年後に、鍼灸がもっと衰退してしまった場合。あるいは、鍼灸が一大ブームになった場合。どちらの場合にしても、2000年代初頭では鍼灸はこういう社会的イメージを持たれていた、ということがこの論文からわかる。50年後にもう一度おなじ調査をしたら、まったく別の結論が出る。時間を隔てておなじ手法で調査したものの結果が変われば、その間にどんなことがあったのか、またはなにをすれば改善するのかといったことを検討する材料になる。これは鍼灸に限ったことではないのだ。

業界系論文の世界

私の好きな論文に「女子短大生における食パンの意識調査」という論文と、「女子短大生の餅の喫食状況」という論文がある。別に女子短大生は食パンのこと意識してないよ、と思うし、女子短大生が餅《もち》をどれだけ食おうが知ったことかよ、と思う。しかし、読んでみるとそれは、日本人の食生活の変化のなかで、米食が減少し、パン食がどれくらいの期間にどれだけ浸透してきているかということを知ることのできる数少ない基礎研究であることがわかってきた。こういう調査は、10年置きくらいに、だれかがやっていないと、人類の歴史の1000年後くらいに、「この時代に日本人という人種は、餅、というものを食べていたらしい」ということがわからないのだ。

考えてもみてほしい。私たちは1000年前のことをあまりにも知らない。もちろん日本が木や紙の文化で、ほとんどの資料が焼けてしまったとか、そもそも識字率がそんなに高くなかったとか、そういう問題はあるにせよ、「今」を切り取るものが存在しなければ、「未来」で「過去」を知るすべがなくなってしまうのだ。

そういうときに役立つのが論文だ。論文は残り続ける。いまは必要がないかもしれないけれど、数年後、数十年後には役に立つものもたくさんある。

鍼灸のように、業界の内側にいる人にとっては日常的なものすぎて、もう客観的にどうなのか、よくわからなくなっている、という職種やジャンルは多々ある。そういったときに、こうした調査の仕方で、だれからも文句が出ないような報告をする、というのは、実はどの時代にもとても大切なことなのだ。と、私も無理矢理もっともらしいこともいっているのだが、おそらくマンガ好きによる研究だろうと思う。

ちなみに、この論文誌を発行した「浜松大学」は2005年に健康プロデュース学部が創設され、2013年から大学が合併して「常葉大学」となっている。健康プロデュース学部には、健康鍼灸学科があり、著者の有馬先生は学科長だ。おなじ学科の教員で協力して、学生たちにも協力してもらいながら、大勢でマンガを読んだにちがいない。そう考えると、学校の課題でマンガを読ませてもらえるなんて、風通しのいい大学だと思ったりもする。

なんでも学問になっちゃうのだ。好きなものをどう学問にしていくか。そんなヒントがこの論文には詰まっている。

九本目
花札の図像学的考察

池間里代子(2009)「花札の図像学的考察」
『流通経済大学　社会学部論叢』第19巻第2号

身近なものから研究ははじまる

身近なものを扱った研究というのはたくさんある。そしてそのどれもから、身近にあるものだからこそ知りたいという好奇心が伝わってきて楽しい。

ここで紹介するのは、日本を代表するカードゲーム「花札」を扱った論文だ。花札、最近では子どもが遊んだりすることは少なくなったが、私が子どものときなどはお正月に親戚《しんせき》たちとよくやったものである。いまやゲーム会社として有名な任天堂も、もとは花札の老舗《しにせ》として名をあげた会社だ。

花札には、いろいろな絵が描いてある。どれも季節とその月を象徴しているものが描かれている、と思われている。松に鶴、梅にうぐいす、牡丹《ぼたん》に蝶《ちょう》……。昔から伝わってきたものだが、しかし、よくよく考えてみると、なぜその絵柄になっているのか、ちゃんと考えてみたことがある人は少ないのではないだろうか。

この論文によると「各月に配された花や生き物がどうしてその組み合わせになったのか、不明な点も多い」らしい。そうなの!? わかってなかったの!?

というわけで「花札の絵はなんであああいう絵なのか」ということを研究した、世の中の役に立たないことうけあいの論文である。

ただ、昔から伝わっているものには必ずなんらかの意味があり、現代人はそれに込められた意味を解凍することができずに、ただなんでかわからずにそのままにしている、あるいは無駄にしてしまうことが多い。おせち料理のひとつひとつに意味があるように、花札にもきっとそういう意味があるはず。そういう「気づき」自体がこの論文の素晴らしいところなのである。

ルーツからわかる図像学

花札は、1月から12月、各月4枚のカードで構成されている48枚のカードゲームだ。起源は中国で、これがヨーロッパに伝わってトランプやタロットになっている。祖先はおなじだそうだ。日本には、中国からヨーロッパに伝わり、ポルトガル経由で入ってきた。この「南蛮カルタ」が、いまでいう「花札」の最初だそうだ。そう考えると、わざわざ西洋経由で日本にやってきてくれたのかと、じんわり感じてしまって花札が愛《いと》おしくなるというものだ。というわけなので、もともと絵のモチーフは、中国の動植物が基本で、それが日本流にアレンジされてきたんだろうというわけである。さらに、過去、花札は賭《か》け事によく使われて何度も政府から禁止された。したがって、現在の花札は、教育的配慮もなされた絵柄になっているというのである。そんな経緯があることすら知らなかった。

たとえば、この論文の冒頭にこんな記述が出てくる。この論文の筆者の池間先生は

6月の「牡丹に蝶」が最初に気になったことから花札を調べ始めたらしいのだが（止まらなかったんだね）、牡丹といったら日本では猪、あるいは唐獅子《からじし》だ。「唐獅子牡丹」なんて言葉もある。猪の肉は牡丹鍋《なべ》という。なんで「牡丹に蝶」なのか。これは中国の画題だというので、花札が前述のように中国発祥で日本に入ってきたことを知るわけである。

池間先生はこうした画題にお詳しい。「中国の吉祥図案には動植物・器物との組み合わせが多く見られる」らしい。吉祥図案とは、大づかみにいうと、中国でめでたいとされる絵のことだ。易学の思想や宗教的な教えを絵に込めるものである。で、池間先生によると「牡丹に蝶」は、こういうことらしい。

たとえば「牡丹に蝶」であれば、百花の王と称される牡丹に群がる蝶、この「蝶」は中国音で「diè」であるが、「耋（diè）：80歳」と同音同声調である。中国画題に「牡丹に猫」というものもあり、これは「猫（māo）」と「耄（mào）：70歳」とが同音声調違いである。これは牡丹が富貴を、蝶や猫が長寿を象徴していることを表わす。つまり、六月の札には「富貴長寿」という意味が隠されているのである。

我々は子どもの頃から見てきたものを「当たり前」のものと思っているが、その「当たり前」も考えてみたら先祖が作ってきたもの、守ってきたものだ。しかし私たちはその意味を知らない。花札でいえば、ただ「絵柄」で認識しているにすぎない。昔から伝わる童謡や踊りにもいろんな意味が込められているように、遊具にさえもそれぞれちゃんと意味がある。今回はそれがテンポよく解かれていく気持ちよさのある論文だ。なのでできるだけテンポよく紹介した。

キーワードは「遊び心」、つまり言葉遊びである。

花札をみてみよう

1月は「松に鶴」である。

常緑樹の松に、長寿の鶴、これは当たり前の組み合わせだと思うだろう。ところが、思わぬところから意外な説が飛び出しているようだ。以下、本文抜粋。

しかし近年、鶴の生態からして松にとまることは不可能だ、これはコウノトリと誤認したものではないか、という説が唱えられてい

る。つまり「松にコウノトリ」説である。

なんと、「松にコウノトリ説」！　こころからどうでもいい反論というか、これはSNS上だと「クソリプ」と言われてもいいレベルのしょうもないツッコミだが、しかし絵柄に意味があるとするとこれは大事な問題かもしれない。

ここで筆者の池間先生は考えた。たしかに、鶴はその昔「たづ」とも言われていた。コウノトリ、白鳥、サギなども「たづ」と呼ばれていた。なので、もしかしたら「松にコウノトリ」とまではいかなくても、「松にたづ」かも……。「松に鶴」ではなく「松にたづ」。

しかし、こう考え直す。「まつにつる」、これは、「まつ→つる」という尻《しり》取り文である。これは、実は2月の「うめ→うぐいす」という頭韻とセットになっているのではないか、と！

読んでいて私はハッとした。え、そうだったの!?　と。そうか、絵にも意味はあるが、それは絵だけではなく「音」も関わらせているお洒落《しゃれ》な遊び心なのだ。花札は言葉遊びがふんだんに盛り込まれていることをここで知った。

池間先生はコウノトリ説をこの「言葉遊び」の観点からやんわりと否定、冷静さを取り戻す。

そして、「そもそも花札の鶴は松と共に描かれているに過ぎず、別に松にとまっているのではないのだ」と主張している。だったら最初からこの案を議論に挙げるなよ。

ともあれ、「松に鶴」は、長寿をことほぐ、という意味でこの図案だということを確認した。

となると2月はすんなり「梅にうぐいす」、「うめ↓うぐいす」と、「う」からはじまる頭韻でよし、これはだれも疑いなかろうと思うのだが、そんなことはなかった。

奥深い花札の歴史……。

しかしこれもまた近年、鶯の色は本来もっと地味であり、鶯はその食性によって梅の木よりも藪を好むことから「梅にめじろ」説が浮上してきた。

「梅にめじろ」説！　これもはげしくどうでもいいっ。と思ったが、ここまで来たら気になってしまう。だって1月は「まつ↓つる」で尻取りになっているんだから、2月だって「うめ↓めじろ」と尻取りで揃えるほうが納得がいく。なかなかいいじゃないか、めじろ説。

こうやって、ひとつの事象を巡って「解釈」が分岐していく。これが学問上起こる「議論」なのである。梅にうぐいすか、梅にめじろか。ただ、池間先生は、めじろだったら数羽描いて「メジロ押し」の意味を出さないと、モチーフとしての意味がない、としてめじろ説を否定した。そもそも絵にめじろを描くときは1羽ということはあり得ないというのだ。たしかにそうかもしれない。

梅といえばホーホケキョという鳴き声の鳥、それはどう考えても「鶯」であろう。と、このように、ほとんどの学問は「たしかにそうかもしれない」の積み重ねで成り立っている。だから、粗だらけなのだ。学者たちはこの「たしかにそうかもしれない」という説得力のある説を提示すること、そしてだれかが出した説を検討すること、こういう議論に命をかけている人種である。

3月は桜の札だそうだ。「桜」は、4月じゃなくて3月だったんだね、あれ。

桜の役札って、満開の桜の前に、幕みたいなものが張られてる。あれを「幔幕《まんまく》」というらしい。

花札には「言葉遊び」がある、ということを覚え

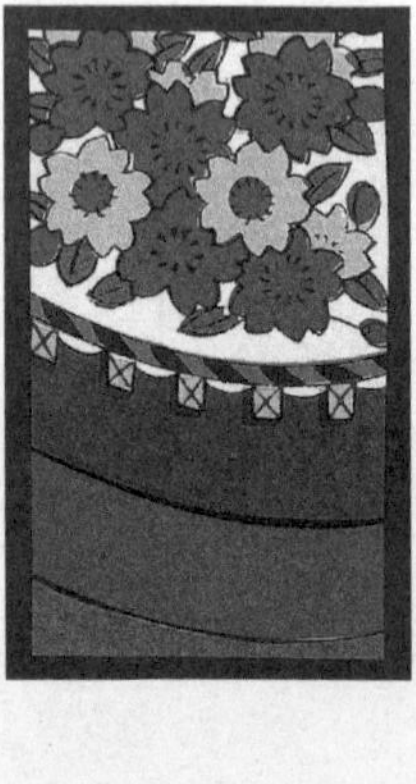

てくれた賢明なる読者諸兄はもうおわかりだろう。これは「まんかいにまんまく」という頭韻だ。なんてくだらないんだろう。でも覚えやすい。花札のすべてがこうした尻取りや頭韻、脚韻などだとしたら、こんなに覚えやすいものはない。子どもでも遊べる札として広まったのは、もしかしたらこういう部分なのかもしれない。ペンパイナッポー、アッポーペンみたいな。

4月は「藤」だ。いまの感覚だと藤は5月くらいかなあという気もするが、旧暦ってことを考えると4月でも違和感はない。藤の札に描かれている動物は、「ホトトギス」らしい。「ふじにほととぎす」？　どこが言葉遊びなのだろう。

が、さすがは池間先生、このへんもぬかりはない。ホトトギスは、漢字で、「時鳥」とも書き、「ふじ→じちょう」という、やはり尻取りになっているというのだ！　すげえ、こじつけじゃねえのか？　と思った人、シッ！　そういうことといっちゃ、ダメ、絶対。「ふじ→じちょう」それでいい。

どこまでも続く「花札」の言葉遊び。でも、読み進めていくとこれがこじつけでもなんでもないことがわかっていく。

5月はだれが見ても「菖蒲《しょうぶ》」、端午の節句の「菖蒲」。に、見えるんだけど、本当は菖蒲ではないことが判明した。もうここまで来てなにひとつ一筋縄ではいかないのがなんとなくわかってきたぞ。花札奥深いぞ。

ではなぜ菖蒲ではないと断言できるのか。先達の研究によって、私たちが菖蒲だと思っていたあれは、役札を見ると「杜若《かきつばた》に八橋《やつはし》」という、日本の愛知県知立市《ちりゅう》にある、無量寿寺《むりょうじゅ》にある風景をモチーフにしているらしいことがすでにわかっていたのである。これはなぜ特定できるかというと、在原業平《ありわらのなりひら》が歌に詠んだことで有名な風景だからである。じゃあ、どこが言葉遊びなのよ。

これは、「かきつばたにやつはし」を略して、「かきつにやつ」で、脚韻を踏んでいるというのだ。マジかー! 「菖蒲に八橋」という発想では生涯かかっても辿《たど》りつけなかったこの脚韻。ゾクゾクしてきた。

6月は「牡丹に蝶」。これは冒頭にも紹介したとおり、ちょっと変化をきかせてきている札だ。難しくなってくる。

牡丹といえば、唐獅子牡丹、という言葉があるくらい、ここはベタに「唐獅子」が動物として選ばれるべきところ。だが、唐獅子という動物（空想上の）は、江戸の人たちには馴染《なじみ》のない動物だったので、「蝶」にした、と池間先生はおっしゃる。しかも、唐獅子牡丹は、博打《ばくち》を想像させるものでもあったので、教育上「唐獅子」は避けたというのだ！　なるほどー。

なぜ「蝶」かというと、「猪鹿蝶」という役のためというのもある。だがそれは結果論、どんな動物でも3つ連なれば慣れる呼び方があっただろう。「猪鹿唐」だっていいわけだし。いのしかから。いのしかぺんぎん　はさすがにないだろうけど、いのしかねこ　だってあり得たかもしれない。

なのだが、役札のモチーフとして選ばれている動物のうち、ほとんどが「鳥」というなかで、鳥よりも足の本数が多い、絵になる動物、というのが「蝶」らしい。このあたりのロジックは読んでてなんか隙がありそうな気もする。猪も鹿も、鳥じゃないし。でも、むしろ「猪鹿蝶」以外は鳥類だってことを考えると、うーむたしかに、飛ぶ動物で絵になるもの……と考えたら蝶かもしれない。うっかり私も池間先生とおなじようにこの花札の絵柄問題について考えてしまっている。もはや術中。

じゃあなぜ「牡丹」なのか。これは、次の7月にある「はぎ」とセットで、「ぼたもちとおはぎ」の並びで、「牡丹」と「萩」にしたのだろう、ということらしい。なんとオシャレな！　忘れたころにやってくる「その後ろとセット」という考え方。無理やりすぎるだろう、とか言わないように。

というわけで7月。「萩に猪」である。「牡丹」と「萩」のセットで、萩に「イノシシ」をあてることで、暗に、「牡丹に唐獅子」とセットになっていることを示しているという。そうか、前の月に「牡丹に唐獅子（猪）」と言わなかったのは「ごめん、わかってるけど、近くにほら、この札あるから」ということなのか。

8月は「薄《すすき》に月」。正確には、「薄に望月」（すすきにもちづき）だそうだ。これは「すすき」と「つき」の脚韻。9月の「菊に盃《さかずき》」。「きくにさかずき」。これは「頭脚韻」といって、最初と最後

をおなじ音で揃えるというオシャレな言葉遊びらしい。どうしてもどこかに「同音」を配置したいらしい。また、重陽の節句に菊祭りがあるように、菊は太陽のメタファーでもある。8月とセットで、「太陽と月」にもなっている。またキター！「その後ろとセット」の考え方。ここでもかー！

となると「6月と7月」は「牡丹と猪」で隠れたセットがひとつ、「8月と9月」は「月と太陽」という隠れたセットがひとつ。緊密に結びついているってことになる。

10月は「紅葉に鹿」。

紅葉を詠《うた》った和歌に、よく鹿が出てくるほどベタに日本的な組み合わせだが、こういったイメージも最初からあったわけではない。なぜこうなったかというと、実は博打用の天正カルタというものがあって、その天正カルタで10は「釈迦十《しゃかじゅう》」と呼ばれていたらしい。その名残で、「しゃか」を「しか」にしたという言葉遊びが背後にある、というのだ。そんな時代のパロディが

ここに生きていたなんて現代人は知るよしもない。

ちなみに、鹿が正面ではなく、そっぽを向いているのにも意味がある。あれは、鹿が10月で「しか十」（しかとお）となり、いまの無視するという意味の「しかと」の語源になっている。こんなところにあったか花札言葉！　シカトは、元をたどると天正カルタの「釈迦十」だった！　って、そんなの知らんがな。

11月は「小野道風《おののとうふう》に蛙に燕《つばめ》」。なんだか異質だぞこれまでに比べると。池間先生によると、11月はジョーカーだそうだ。

たしかに、花札のルールのなかでもこの11月の札は単独では役にならない迷惑札だ。柳と燕は「春」、傘と蛙は「梅雨」、雷は「夏」で、季節がバラバラ。しかも、カス札の「雷と太鼓」は、雨降りの太鼓で、「ドンならん（どうにもならない）」のしゃれだそう。もうそんな意味があったなんて知らなかったよ！　おもしろすぎるじゃないか11月。そうか、そういう「矛盾」を表現していたのか。バラバラを表現するために、おなじ世界にいちゃいけないものを並べたというわけだ。

あと、最初は絵の人物のモデルは小野道風では

なくて、『仮名手本忠臣蔵』五段目の「斧定九郎《おのさだくろう》」だったらしい。

おなじ「おの」でも「おの」ちがい。これは、歌舞伎や落語、講談でもおなじみの人物。斧定九郎というのは、歌舞伎の家の出ではなかった中村仲蔵《なかむらなかぞう》という役者が番傘を差した演出で有名になった役で、それがそのまま札の絵になったという。このエピソード熱い！　これは、歌舞伎オタク豆知識。ではなぜ小野道風になったかというと、斧定九郎は強盗殺人を犯す人物。教育的にどうかということで、三蹟《さんせき》の小野道風になったのだそうだ。

そう考えると、最初は花札に斧定九郎だけが人類代表で入っていたわけだ。そしてヤクザ者たちが博打をする際に使う花札に、斧定九郎がいた。ピカレスクロマンじゃないか。花札ってそういうオシャレさがあったのか。

12月は「桐に鳳凰《ほうおう》」。これは、梧桐《ごとう》に鳳凰という脚韻だそう。「ou」という音が揃ってる。しかも最後に桐をもってきたのは、ピンからキリの「キリ」のシャレなのだそうだ。言われてみれば「そっか」となるが、言われるまでは一生気づけない。これが学問の偉大なところである。初見で

納得できちゃうくらい説得力があるということだからだ。

12月も、鳳凰という実際にはいない動物がモチーフで、すべてが単体ではカスという、ジョーカー扱いです。11月と12月は、そういう意味ではどうにかしたい札、だったのだろう。

池間先生の発見

以上、1月から12月まで、言葉遊びがふんだんに盛り込まれているのが「花札」だということは、ガッテンしていただけただろうか。

この論文では、ほかにも、短冊の意味や、役の意味「赤短」（あかよろし）「青短」（あおによし）の謎や、「猪鹿蝶」などを調査していたり、花札に描かれている絵の意味を、考察している。まさに「そうだったのか」の連続で、池間先生の論文を読んでいなかったら花札をこんな視点で見られなかったというものばかりだ。

これだけ身近なものに、これだけの意味が込められていて、しかも絵だけではなく「音」でもつながっているというものはなかなかない。これを読んで、「だれかに言いたい！」と思えたなら、この論文は正解だということになる。それだけ「人が自慢したい欲」を満たす役には立っている。

花札の解釈史にピリオドを打つ画期的な論文であった。

ただ、これほどまでに謎を解明してきた池間先生でも、どうしてもわからない謎がある。それは、なぜ中国ではどの絵にもかかれていて、日本でも馴染のある「竹」がモチーフになっていないのか、ということらしい。

笑っちゃうほどどうでもいいことかもしれないが、この最後の指摘を読んで震撼《しんかん》した。「あるもの」について考える、分析する、調べる、ということはだれもがする。だが、徹底してそれをやったとき見えてくるものは、「ないもの」なのだ。

池間先生が最後に「ないもの」に気づいたのは、必然である。これはだれしもが学ぶべき姿勢だ。

その1

十本目「坊っちゃん」と瀬戸内航路

山田廸生(2009)「「坊っちゃん」と瀬戸内航路」
『海事史研究』第66号

大発見の香り

横断的に学問を究めた「大人」が本気を出すと、いまから120年以上前の人間の行動まで、映像で見るように蘇《よみがえ》ってしまう。ここでご紹介する論文は、そんな「想像力」と「検証力」の凄《すさ》まじさを体感できる論文だ。

この論文は、出会った瞬間からして「異質」であった。図書館の論文雑誌が配架されている棚に『海事史研究』という雑誌が何冊かあった。文字通り、船やその周辺、「海事」にまつわる歴史を研究している人たちが投稿する論文誌だ。「東シナ海の航海時期」とか、「マテオ・リッチ『坤輿萬國全圖』記事の全訳」とか、読み方もわからないような専門的なタイトルが並ぶ。そのなかに、「「坊っちゃん」と瀬戸内航路」はあった。

文学部出身の私は、漱石《そうせき》となると興味がわく。しかし、興味とともに疑問もわく。船と漱石？　ここらへんから「ヘンな論文」の匂いがプンプンする。海事史と文学、この出会うはずのないような二つのジャンルを、横断的に扱える人物とは何者か。著者に興味が広がる。経験からいうと、この手の論文は相当な手練《てだ》れが書いている可能性が高い。

まだ、学問が細分化していないころ、学者は博識だった。そして、我々の生活全般について興味を持っていた。細分化の過程を知っているベテランたちは、だからこそ横断的な研究ができる。学問というのが本当はジャンルレスであることを示してくれるものなのだ。そういう匂いがプンプンする。

そして私はこの論文を手に取った。読み始めてから、家に帰り着くまでの記憶がない。それくらい没頭させられた論文だった。

没後１００年が経ち、直接漱石を見たことがある、という人も亡くなっている今、もう一度、読者のみなさんに夏目《なつめ》漱石に想いを馳《は》せてもらいたい。

考えたことなかった！

夏目漱石（１８６７―１９１６）による『坊っちゃん』という小説をご存じない方はこの国にはいないだろう。夏目漱石が松山《まつやま》中学に英語教師として赴任した経験をもとに書かれた青春小説で、いまだに国語の教科書にも掲載されているほどの名作だ。「親譲りの無鉄砲で小供の時から損ばかりしている」からはじまる、漱石のユーモアと厭世的《えんせいてき》な主人公の性格が見事に心をつかんだ、漱石作品中でもっとも読まれている作品。そして現在でも読み続けられている。舞台となった愛媛県の松山には漱石ゆかりの建物や場所がたくさんある。「坊っちゃんスタジアム」という名前の球場もあるくらいだ。

この論文の「はじめに」の部分にこう書いてあります。

ところで、「坊っちゃん」は赴任するとき、どのような経路をたどって東京から松山まで行ったのであろうか。

いきなりキラーフレーズ炸裂《さくれつ》である。そんなことを、考えたことがなかった。そうか、船とか好きな人は、こういう小説を読んで、表現がどうのとか近代人の自意識がどうのとかよりも、「どのルートでなにに乗っていったのか」ということが気になるのかっ。軽く張り手をかまされたような清々《すがすが》しさで目が覚めた。学問とは、「問に学ぶ」と書く。こんな問いを立てたこと自体がこの筆者の山田《やまだ》先生のすごいところだ。

これについては、文中のどこをさがしても書いていない。

当たり前だよ。それがメインの小説じゃないんだから。ただし、興味深い記述は存在していて、『坊っちゃん』の最後で、松山から東京に帰るまでの「交通手段と経由地」（本文ママ）が書いてあるのだ。

汽船は夜六時の出帆である。山嵐もおれも疲れて、ぐうぐう寝込んで眼が覚めたら、午後二時であった。（中略）その夜おれと山嵐はこの不浄な地を離れた。船が岸を去れば去るほどよい心持ちがした。神戸から東京までは直行で新橋へ着いた時は、漸く娑婆へ出たような気がした。（夏目漱石『坊っちゃん』）

松山から山嵐《やまあらし》と船に乗って神戸《こうべ》まで行き、神戸から東京の新橋《しんばし》まで鉄道で戻ってきたということが書かれている。不浄な地とまで漱石がディスってるのに、松山はいまだに漱石をリスペクトしていていじらしいじゃないか。ふつうの人ならそう思ってページをめくり、ずっと自分の面倒を見てくれていた「清」の墓のくだりでしんみりして読み終わる。

ところが、山田先生はそうではなかったようだ。

「じゃ、行きはどう行ったんだろう？」。

こんな疑問を持つのだから驚愕《きょうがく》に値する。帰りがそうなら、行きはその逆、と考えるのが妥当ではないか。ほぼすべての人がそう考えてスルーしてしまう問題。そこを、ちょっと調べてみるか、と思えたこの先生はすごい。と、いうことでこの小説の舞台となった明治28年（１８９５年）、漱石はどうやって松山まで行ったのか、ということを調べた論文だ。

120年以上も前の人が、その日どうしていたかなんて、わかるとは思えない。それをわかろうというのだから、これは「ヘンな論文」だ。

近代の作家を研究しているほぼすべての研究者も、たどると漱石研究に行きつくと言われている。漱石の弟子には芥川《あくたがわ》をはじめ内田百閒《うちだひやっけん》や寺田寅彦《てらだとらひこ》、小宮豊隆《こみやとよたか》、鈴木三重吉《すずきみえきち》、中勘助《なかかんすけ》、松根東洋城《まつねとうようじょう》や和辻哲郎《わつじてつろう》など、錚々《そうそう》たる顔ぶれが並び、さらに教え子も多い。生まれた時代も慶応《けいおう》3年で、明治の歴史とともに歩んだ人なので、自然、インテリが少なかった時代だから顔も広く、多くの文化人と交流がある。英国留学経験者でもあり、外部から見た日本を語れる数少ない研究者でありながら、翻訳者としても優秀で、英国文学にも精通している学者だ。もっとも驚くべきことは、小説家としての稼働期間が12年ほどしかないことだ。そしてこの12年の間に、処女作『吾輩は猫である』から未完の大作『明暗』まで、日本文学史上における決定的な仕事をしたのだ。

だからこそ、漱石の巨大すぎる足跡をたどるために、その作品は多くの研究者にも読まれている。わかることはほぼすべて研究されているといっていい。しかし、いまなおここに、そんな研究者たちも立てなかった問いを立て、挑もうとしている人がいたのだ。

唯一の手がかりは2通の手紙

もちろん、『坊っちゃん』は小説で、漱石が松山に行き来した時代とは発表された年もちがう（発表は、約11年後の１９０６年）。しかし、限りなく事実をもとにして書かれた小説であることもわかっていて、現に漱石は当時の記憶をもとに10日間ほどでこの作品を書き上げている。

このことは、資料でも確認されている。そこで、山田先生がまずやったのは、漱石が書いた手紙、いわゆる書簡を調べる作業だ。手がかりになる手紙が、２通残っている。

ひとつは、
松山に着いた直後、「城戸屋」という旅館から狩野亨吉《かのうこうきち》という同期の親友に出したもの

もうひとつは、
数日後に神田乃武《かんだないぶ》という英語学者に出したもの

である。

ちなみに、狩野亨吉《こうきち》は１８９０年頃に、東京帝国大学（現・東京大学）で漱石と親しくなった哲学科出身の人物である。のちに、漱石が松山中学を辞して、熊本の第五高等学校に赴任したとき、漱石の招きで五高に赴任した人物だったので、相当親密な

仲であっただろう。漱石には、正岡子規《まさおかしき》以外にも親友がいたのだ。大学進学率が低かった時代、帝国大学ともなると、それぞれが顔見知りくらいの間柄でもあったのだろう。学科がちがっても仲良くなる可能性は高かったようだ。のちに、34歳の若さで第一高等学校の校長になり、42歳で京都帝国大学文科大学（現・京都大学）の初代学長になる人物である。

神田乃武《ないぶ》という人物は漱石より10歳ほど年上で、明治4年から12年までアメリカに滞在し、大学予備門では英語、1886年から東京帝国大学でラテン語などを教えていた人物だ。つまり、漱石が在学中に職にあったことになる。漱石にとっては、大学予備門からお世話になっている先生だ。

いまでいうメールみたいなノリでこの二人に手紙を出した漱石。この2通に書かれている情報をまとめると、

・明治28年4月7日午前11時に東京を出発した
・2日後の4月9日午後2時頃に松山市内に到着した

ということがわかっている。4月7日の朝、家を出て、2日後の9日に松山の「城戸屋」に着き、2時ころ手紙を書いているのだ。

これだけ歴史的な文豪ともなると、手紙まで見られて行動を知られてしまうから迂《う》闊《かつ》なことはできない。ライントーク履歴をすっぱ抜かれた、といったレベルの話で

はないのだ。とはいえ、漱石が筆まめなおかげで、この「スタート」と「ゴール」はわかっているのだ。

ただし、旅行経路や交通手段についてはまったく触れられていない。となると、この空白の2日間の漱石の行動は、漱石研究だけではなく、明治の鉄道史、海運史に精通していないとわからないことになる。ここでまさに山田先生の腕がものをいうことになる。

漱石研究の奥深さ

漱石は研究者が多いので、この旅行経路をだれか調べていないかなと山田先生が探したところ、やはり研究者の間でもさまざまな推理がなされてきたことがわかったようだ。つくづく漱石研究者は、もっとも安全なストーカーである。こんなことまですでに調べてあるんだから。

「通説」というのがあったらしいので、ちょっと簡単に説明すると、

・明治28年4月7日、漱石はひとり新橋停車場を出発、神戸、広島を経て、広島から愛媛の三津浜《みつはま》港までは船をつかい、そこからまた伊予《いよ》軽便鉄道に乗って、9日に松山に到着した。

というこどらしい。詳しい。山田先生は、これが江戸東京博物館の「文豪・夏目漱石」展の図録に載っていた、と書いている。普通だったらだれも文句を言えないくらいの詳細な記述だし、そこにだれも疑問を抱かない。

だが、山田先生、ここにピーンとくるわけですね。

広島経由？　まてよ？「坊っちゃん」が山嵐と帰ってきたルートは松山から船で「神戸」だったけど……。行きは「広島」から船だったのかなあ。

みなさんも最初に読んで「だったら行きも、神戸から船なんじゃないの？」と思っていただけたはずだ。しかし、公式な記録では、「広島」経由とある。なぜか。そこで山田先生はこの図録の執筆者に問い合わせる、おそるべき行動力。抑えられない好奇心が、エンジンのように人間を突き動かす瞬間だ。

すると担当者から、これは『増補改訂漱石研究年表』を参考にしたよ、という返答を得た。

それなら充分じゃないか。研究者からしても、これ以上疑いようのない資料、それが『増補改訂漱石研究年表』、通称「漱石年表」である。

漱石が生まれた日から亡くなるその日まで、何月何日は天気がどうだったか、だれと会ったか、なにをしたか、さまざまな研究領域からの報告、書簡、新聞、またたれかが漱石について語った資料などから、すべてが網羅されている年表である。厳密にいうと、漱石が生まれる前から、漱石が亡くなった後のことも書いてあるので、おそらく日本で一番、特定の個人について書かれた、詳細な「生きた記録」だろうと思われる。そこに書いてあることは、かなりの権威が漱石について調べたことなので、疑いようがないのである。

なのだが。なんとこの山田先生、疑問を持ち続ける。このあたりから、もう好奇心が常識の壁を打ち破っている。

1984年に出た『増補改訂漱石研究年表』は、研究者ならだれでもが持っているくらい信用度が高い。そこには、問題の4月7日、8日、9日の3日間の漱石の行動が、事細かに掲載されていた。

★四月七日（日）、曇。午前十一時四十五分（推定）、新橋停車場を出発する。
（実家から旅立ったかどうかは分らぬ）
★四月八日（月）、午前七時三十五分、神戸停車場に着く。九時（不確かな推定）、神戸停車場を出発、午後五時五十六分、広島停車場に着く。宇品《うじな》から船で三津浜港に向う。

★四月九日（火）、晴。満月。午後、三津浜港に着き、午後一時四十一分、三津浜停車場発の伊予軽便鉄道に乗り、古町停車場を経て、二十分程かかって、午後二時外側（松山市）停車場に到着。（運賃三銭五厘）

猛烈に細かい！　なんでここまでわかるのか。当時の新聞や時刻表を参考にしたのだ。

ちなみに、このへんの地名に詳しくない人に申し上げておくと、宇品港は広島県、三津浜港は愛媛県。外側駅が現在の「松山市駅」で、この駅名は明治22～33年頃に使用されていた。

いったいだれがこれほど緻密《ちみつ》な行動記録を疑えるのか。

山田先生は、『増補改訂漱石研究年表』の改訂前、その10年前の1974年に発表された最初の年表では、ほとんどこの3日間について、書簡から得られる情報以外載ってないことを突き止める。

最初の「漱石年表」にはこう書いてあるのだ。

★四月七日（日）、新橋停車場を出発。（実家から旅立ったかどうかは分らぬ）

★四月九日（火）、午後三津浜に着き、軽便鉄道に乗り二十分程かかって、午後二時頃松山市に到着（運賃三銭五厘）。

なんなんだろう、この情報量のちがいは。

山田先生、ここでまたひとつ気づく。これだけ情報量がちがうということは、この改訂までの10年の間に、有力な鉄道史料が出たんじゃないか、と！

調べたところビンゴ。最初の年表発表から数年後、岡山市の旧家から、ファンの間では「幻の冊子」とまで言われていた、日本で最初の時刻表『汽車汽船旅行案内』の創刊号が発見され、最初の年表発表の7年後の１９８１年に、この復刻版を広島の古本屋「あき書房」が出版したことをつきとめる。

つまり、『増補改訂漱石研究年表』は確実にこの本を基にして記述の改訂が行われたことに気付くのだが、この先生、ここまで来たらすごいです。この時刻表の復刻版を入手して読むのだ。すると、そこに広島（宇品）から松山（三津浜）までの船の情報が出ていないことに気づくのである。

ようやくこの論文が、『海事史研究』に掲載されている理由がわかってきた。そう、この雑誌は国内有数の船オタクたちが集結している雑誌。そこで、こんなに船が雑に扱われている情報があっていいのかーと、声をあげているのである。

船ルートがわかってない。だから漱石年表に、鉄道の発着時間は細かく載ってても、船の発着時間には触れられていないのだ。

世に鉄道オタクと呼ばれる鉄道愛好家たちは山ほどいる。しかし、船オタクはどうだ。彼らほど市民権を得ているわけではない。だが、120年前の日本、しかも瀬戸《せと》内海《ないかい》といえば、交通の主要手段は「船」だ。船をなめたらあかんぜよ。

わからない、じゃない、探すんだ！　ふつうなら「わからない」ならそっかー、と終わってしまうところを、この山田先生はあきらめないのである。あきらめない、それが学者の矜持《きょうじ》である。わかることなら地の果てまでも。

さらに深みに！　あきらめない山田先生

山田先生が次になにをしたか。

当時の新聞に出ている、船の発着の広告を調べたのである。

国立国会図書館にある、『芸備日日新聞』（いまの中国新聞）のマイクロフィルムを調べにいく。きっとそこには、船の時刻表は掲載されていなくても、船会社が出している「広告」は載っているにちがいない。なにせ瀬戸内海の主要交通は船だ。時刻表は当時の地域の人々の需要もあったはずだ。

この好奇心から出た推測を確認するためだけに、国立国会図書館へいく道中、山田先生はなにを想ったのだろうか。無駄足に終わることだって充分あるのに、それでも確認せずにはいられない、「問いの謎に挑む時間」のワクワク感が、この一件からでもにじみ出てくる。

『坊っちゃん』最後の記述から、直感的に「神戸経由」だと思う肌感覚。しかし江戸東京博物館で見た行きのルートは「広島経由」だった。この違和感をキッカケに『漱石研究年表』をたどり、さらには新聞のマイクロフィルムにまで手をだしているのである。

神戸発の広島への汽車は、午前9時に出て、夕方5時56分に着く。6時です。広島駅から宇品港までは人力車。鉄道はあったけど軍用の路線だったので、漱石は乗れなかった。軍用路線から一般も使えるようになるのも、まさしくこの年、ほんの数ヶ月後ということが、資料からはわかっている。

そして、漱石は何時ころの船に乗ったのか。

果たして、船会社の新聞広告がちゃんと出ていたようだ。

新聞広告による舟の発着時間は、午前9時と午後4時半。

……え？

ということは、翌朝9時便？　漱石、広島1泊？

でも、翌日の午後2時には松山の「城戸屋」にいるはずだ。間に合うか？

広島の宇品港から松山の三津浜港について、そこから市内の「城戸屋」までだって時間はかかる。人力車や軽便鉄道を駆使したはずだ。この頃の鉄道の時刻表はある。そうなると、船がどれくらいの時間がかかって三津浜に到着していたのかが問題だ。マイクロフィルムにはどこにも書いてない。

だが、あきらめない山田先生は、これをどうやって調べたか？

一日2便で、松山側からも一日2便、つまり3隻の船でこの「宇品―三津浜」間を回していることに気づき、この朝、動いていた船の種類を別の資料（しかも船の会社の社史に掲載されている船から、この時代に就航していた船まで特定）で調べて、最速の船に乗ったとして「第三相生丸」に乗っていた、というところまでつきとめる。

最高速度を計算し、過去の資料から特定した、かかる時間は5時間10分だ。

松山の三津浜港に到着するのは午後2時10分、人力車と軽便鉄道で松山までいくと、午後4時になるということが判明。

……これはどう早く行っても広島経由ではたどり着けない。

しかも。広島説が不自然な理由はまだある。

実はこの4月8日、漱石の大親友の正岡子規が広島にいたはずなのだ。これは資料が残っているので確かな情報だ。だが、大親友の彼に漱石は会っていない。会ったにせよ、会えなかったにせよ、彼に関する記述が広島に行った場合、ないのはおかしいのだ（子規は日清戦争の従軍記者として、4月10日に広島を発《た》った）。しかもこれから行く松山は、子規のお膝元《ひざもと》である。

広島経由で午後2時「城戸屋」着のアリバイは、こうして崩れる。2時間程度の誤差。これが、「城戸屋」に昼過ぎについた、と漱石が手紙を出していれば、もしかしたらまだ「疑念」の域を出なかったかもしれない。しかし、「午後二時」とわざわざ明記している以上は、漱石を信じようじゃないか。新幹線もない、鉄道が配備されたばかりで、東京から松山まで、2泊3日の長旅だ。その疲れから、漱石は「もう午後2時だよ！　長かったぁ」というニュアンスで書いたにちがいない。ならば、その気持ちをしっかり汲《く》んだ説を検証してみようというのが、山田先生のスタンスである。西村京太郎《にしむらきょうたろう》も比じゃない、なによりフィクションではないこの120年前の時刻表アリバイ崩し。ゾクゾクが止まらない。私はその異常な「好奇心」という名のエンジンのふかしっぷりに、もう笑うことしかできない。

神戸ルート検証　そして完全証明へ

となると、もうあとは神戸で船に乗るルートしかない。

先生は、裏を取るために、『汽車汽船旅行案内』、そして船を出していた『大阪商船株式曾社五十年史』、『大阪朝日新聞』の広告、『神戸開港三十年史』、『神戸開港百年史』、といった資料を、目を皿のようにして検証した。

4月8日は月曜日で新聞は休刊日だったけど、だったら火曜日の愛媛のほうの新聞『海南新聞』で到着便はどれだとか、もういろいろ探し回る。この人には「あきらめる」という選択肢はない。このあたりはこれまで私が読んできたどの推理小説よりもスリリングで緻密な、想像と検証が繰り返し行われる、本論文中もっとも熱い箇所。研究者としての山田先生の手腕がいかんなく発揮されている。とにかく、「ねちっこい」ことこの上ない。

漱石が乗った船の名前は、「攝津丸」という船で、しかもこれは出航当日に急遽《きゅうきょ》、本来予定されていた船の代わりに出た「差し替え船」であり、甲板がこれくらいで乗車賃はこれくらいで、ランプがなく、食事はきっとこうしていて……と、漱石が神戸の駅を降りてから船に乗り、その船でどう過ごして三津浜港に到着したか、まるで再現映像でも見るような鮮明さだ。このあたりこそ、論文本編を読んでほしい。

そしてついに、謎はすべて解けた。まるっと全部お見通しだ、と山田先生がいっているように、漱石の動きが再現される。

漱石は朝の6時55分に神戸駅について、夕方に出発する船を待った、というのが正解のようだ。

神戸の、瀬戸内海向けの港「神戸港」の波止場から、夕方5時半出発の「攝津丸」という船にのり、翌朝11時40分に松山の港に到着。

ちなみに、この神戸での10時間の待ち時間のことを先生は、「漱石らしい一〇時間をおくり、それから波止場へ向かったのではないか」と書いています。漱石らしい10時間ってなんだよ。

松山の港から人力車に乗って最寄の駅「三津駅」まで行き、12時41分に出発、軽便鉄道で外側駅（松山）に着くのは約20分後の午後1時。運賃は、おそらく4銭くらい。

そこから人力車で、市内の旅館「城戸屋」に着くのが、時計の針でいうと午後1時から2時のあいだ。この旅館は、「漱石年表」によると、3年前（明治25年8月10日）に泊まり、翌日には親友の正岡子規の家を訪ねた思い出の旅館だ。ふっと長旅を終えた安堵《あんど》から、到着の知らせをするために手紙をしたためようとする。時計を見る。午後2時前。親友や恩師に手紙を書いた時間と符合する。


完全証明！

最後の文がすごい。

「こうして、東京から松山まで、二泊三日、五一時間の大旅行は終わった」。

山田先生は、いい切った。120年以上前の出来事を、いまから検証するのなら、だれだって「だろう」「はずだ」レベルのことしかいえない。一点だって間違っている可能性がある限り、憶測でしかものを言えないからだ。しかし、先生は、最後の文をいい切りで終えた。だれに反論されても間違いないという自信が、この最後の一文からうかがえるのである。

たった2通の手紙から、120年前、2度の大戦の前に存在した、ひとりの人間の行動が、恐るべき知の巨人の前だと、ここまでわかってしまう。

この山田先生、交通史の専門家なのですが、これがさぞ楽しかったのか、2012年には、おなじ雑誌に、漱石が一学生だった23歳の頃、友だちといった千葉旅行で、どの船に乗ったかを特定する論文もお書きになっている。贅沢《ぜいたく》な時間の使い方ですね。

1937年生まれ、2020年現在83歳である。船に関する図鑑、書籍だけではなく、鉄道、飛行機、乗り物に関わる書籍を何冊も出版されている先生だったことを私は知る。やはりにらんだ通り、この横断的な知識と不屈の精神は、この国の戦中・戦後を知っている人だった。ものがなかった時代に、学問に惹《ひ》かれ、黎明期《れいめいき》を見守り続けた人物。学問に打ち込めるありがたさをだれよりも知っている世代。そんな先生のお書きになった論文に触れられなかった人生を考えると、読めたことがありがたく感じられる。

漱石のあとは、『海事史研究』の五十周年記念号（２０１３）に「鷗外と川蒸気通運丸」という論文もお書きになっていた。この先生の興味は尽きることがない。

私はどうしても、この先生に会いたくなった。

『海事史研究』を発行している、日本海事史学会の事務局に連絡し、担当の先生の奥さんらしい方に大変怪しまれながらも、担当の先生が帰ってくる時間をうかがった。再度その時間に電話をかけると、事務局の方が出る。「「坊っちゃん」と瀬戸内航路を読んだんですけど、山田先生にどうしてもお会いしたい、次の学会にはどうしても仕事でうかがえないので、連絡先だけでも教えてくださいませんか」。

返ってきた答えにさらに驚く。「先生は、いまは一年の半分は船の上で過ごされています。それにご高齢なので、これ以上新しく知り合いを作りたいとも思っていないそうです」。

もう尊敬しかない。この人付き合いの割り切り方は、人生の時間の使い方についてずっと考えてきた人にしかわからないのである。

漱石をたずねて

私はどうしても先生と話したいことがあった。なぜ漱石について書こうと思ったのか。漱石だったらどんな作品が好きか。この論文を書こうと思ったのはなぜか。書いているときはどんな気持ちだったか。

それと「漱石らしい一〇時間」とは、どういう10時間だったか、ということも。

実は今年のはじめ、神戸に実家のある知り合いの家に、遊びにいった。どうしてもこの論文のことが頭から離れなかったからだ。震災後にかなり様変わりしたようだが、神戸港周辺に関しては地元の郷土史家が定期的に講演をしたり、書籍も出しているということだったので、調べてみたところ、明治28年当時は、神戸に小泉《こいずみ》八雲《やくも》がいたそうだ。小泉八雲は1894年から96年まで、神戸市のジャパンクロニクル社に就職、記者をしていた。

漱石と八雲はこの当時面識があったとは思えないが、それにしても八雲と漱石は縁がある。この後、八雲は東京帝国大学の英文学講師となるが、八雲が職を辞した後任にその職につくのが、英国留学から帰国し、まだ精神的にもつらかった時代であろう夏目漱石なのだ。漱石は一高と帝大の英文学を担当するが、このときの一高の校長が、城戸屋から手紙を出した先の、狩野亨吉である。八雲は学生に慕われすぎていた。結果、学生によって八雲留任運動まで起きていたために、後任の漱石は肩身の狭い想いをしたにちがいない。講義も「硬い」と言われ、漱石の居場所は、松山にも、イギリスにも、東京にもなかった。精神は衰弱していくばかりだった。

しかし、そんな八雲と漱石が、まだ知り合う前の明治28年、１８９５年4月8日に神戸にいたというのは、運命的だ。もしかしたらすれ違っていたかもしれない。神戸はもっとも栄えた港であった。洋風の建物などもたくさんあったし、外国人も多かったろう。イギリス留学前の漱石には興味の対象ばかりだったはずだ。漱石と八雲は、この後年、ずっと一緒の場所にいることになる。『坊っちゃん』の清とおなじ、雑司《ぞうし》ヶ谷《がや》霊園で。

汽車がついたのは朝6時55分だ。疲れているだろう。

泊めてもらった神戸の近隣の人たちがいうのには、駅から港にいく道中に、「花隈《はなくま》」という花街があったという。花街というくらいだから、そっちのお店もあったろうが、朝だからそういうことはない。茶屋ばかりでなく、文化人やインテリが集う料亭のような場所もあったらしい。神戸駅から人力車に乗った漱石は、おそらくこの花隈で下車、ゴロンと横になれる茶屋風の料亭で、食事をとって仮眠などもしたのではないだろうか。昼過ぎから花隈城址《じょうし》あるいは港のほうに出て、ウィンドーショッピングなどもしたかもしれない。震災前の神戸の街並みを知っている地元の人たちには、あの辺の料亭に漱石がきた、という噂が残っていたそうだ。神戸に寄るたびに訪れていたところかもしれない。漱石らしい10時間というのは、こういった場所で、広島に行ったら会えるかもしれなかった子規を想い、それでも疲れたから連絡はあとでいいや、明後日《あさって》は入学式だと思って松山の地に想いをめぐらせ、街を歩いて文房具でも探していた、そんなときに神経質そうな外国人のラフカディオ・ハーンとすれちがっていた、そんな時間だったのかもしれない。

いまはその料亭も震災でなくなってしまったそうだ。

この論文に感化された私も入手した『増補改訂漱石研究年表』。城戸屋に到着した4月9日の翌日、明治28年（1895年）4月10日の記述は以下のようである。（　）内の人名は、証言者である。

★四月十日（水）、愛媛県尋常中学校嘱託教員任命の辞令発令される。新学年の授業始る。嘱託教員なので、学級の担任や宿直などの雑務はない。教室でも職員室でも、俳句集を手離さぬ（真鍋嘉一郎）同僚の教師たちと親しく話すことはなく、超然としている。（渡部政和）横地石太郎に、「学校にどんな本があるのですか」と聞き、書庫へ案内され、藩校時代の『陶淵明集』（二冊）を借り出す。（横地石太郎）（教壇での服装については、洋服という説と和服という説がある。四年生と五年生は、Washington Irving（アーヴィング、１７８３―１８５９）の The Sketch Book（１８１９―20）を教える。（真鍋嘉一郎「漱石先生の思い出」日本医事新報　昭和十五年六月十五日）同級生の村井宰は、Milton（ミルトン）の伝記を習ったという。また、Longman Raeders を教えたとも伝えられる。Dixson（ディクソン）の Composition を読むように繰り返しいう。）真鍋嘉一郎・松根豊次郎（東洋城）・桜井忠温・片上伸・今井嘉幸ら在学している。桜井忠温は、時々遊びに来る。（伊藤整）生徒数四百四十一人。

（正岡子規、午後二時、宇品港から海城丸に乗り、遼東半島の柳樹屯に向う。）

これ調べた人たちもたいがいである。

この後、この松山での経験が、『坊っちゃん』に結実していくことになる。この日の漱石の心境はどうだっただろうか。着任初日に俳句を詠み、だれとも話さず、心を閉じていたのかもしれないが、のちにそれをユーモラスに語るようになるんだぞ漱石。

城戸屋は、この後明治に消失、昭和になって再建され「坊っちゃんの間」という部屋も再現されたが、昭和53年に廃業、平成24年に建物自体も取り壊されて、いまはない。

しかしこの地に降り立ってみて、120年以上前の風景を想像してみるのは、悪くない。

いてもたってもいられず、思わず松山の「城戸屋」跡に行ってきちゃいました。

十本目
「坊っちゃん」と瀬戸内航路　後日譚
その2

山田廸生先生に会えた！

この『もっとヘンな論文』を執筆するにあたり、私はどうしても「『坊っちゃん』と瀬戸内航路」を紹介したいという気持ちと併せて、著者の山田先生にお会いしたいという気持ちがまだ残っていて、諦《あきら》めることができなかった。

以前とは状況が異なっているかもしれないと思い、出版社の麻田さんにお願いして先生に連絡していただいた。すると、なんと会ってくださるというではないか！

こうして、先生とは平日の昼下がりに、都内の会議室で、静かに対面することとなった。

待ちに待った日ではあったが、一方でこれだけの論文を書かれている方である。どれだけ怖い先生なのだろうという気持ちもあった。だが、山田先生に実際にお会いしてみると非常に柔和で、船が好きで好きで仕方がないということが伝わってくる、誠実なお人柄だった。

先生はこのとき80歳。その年齢とは思えないほど、耳も目もよく、話すこともしっかりなさっていて、年齢よりもっと若く見える。

先生は、クルーズ船がお披露目になる地中海の船旅が好きだったそうだ。ほぼ毎年、飛行機でヨーロッパやアメリカに飛んで、就航するクルーズ船に乗る、乗り鉄ならぬ「乗り船」だった。そんな人種がいたなんて。緊張のなかにも「研究極道」とでもいうべき空気を感じて安心した。やすやすと常軌を逸したことができる、覚悟のある人だ。こういう人とは、話ができる。

先生はもちろん船の写真も撮る。「私は欲張りだから両方やりたかった」と語ってくれた。

れっきとした船オタのようだ。ニコニコしている。

だが、それも「船に乗るのが疲れた」という理由で3年ほど前にやめたそうだ。疲れたって。年齢とは「好き」すら徐々に奪っていくものなのか。

だから時間ができ、私の願いが届いて面会がかなったというわけだ。諦めないとこういうご褒美があるからうれしい。

ここでは、そんな山田先生とお話しして、いろいろなことがわかったので、インタビューの結果わかったことを、山田先生の半生とともに、かいつまんでご紹介したいと思う。

山田先生の来し方

山田廸生《みちお》先生は、昭和12年（1937年）1月、現在の中国、当時は日本統治下、旧満州《まんしゅう》の大連《だいれん》で生まれた。大連は、中国と朝鮮半島に囲まれた、湾のようになっている黄海《こうかい》のなかの港に面した大都市である。私事だが、私の父も旧満州のハルピン出身で先生と年齢も近いはずなので、親近感がわく。

小さい頃から身体が弱かったが、両親の実家である豊後《ぶんご》高田《たかだ》へ、大連から船で何往復もした。大連から北九州《きたきゅうしゅう》の門司《もじ》港、門司から豊後高田へ。幼い山田少年は自然に船が好きになっていく。気付いたときには大の船好き少年になっていた。そして、それはこの時代の少年としては決して珍しくはなかった。船はそれほどに生活に密着した交通手段であった。

現在の私たちの生活における「船」のように、やや非日常的な乗り物となったのは、先生によると高度経済成長期以降のことである。それまで日本では、船、鉄道というのは生活に密着した乗り物だった。

ほどなくして、一家で東京に居を構えることになり、青春時代は東京で過ごした。戦中、戦後の、日本がどん底だった時期に、多感な年齢だった世代である。

ところが、どんな学生時代だったかをきくと、中学や高校時代にはすでに、お小遣いを貯めて船に乗るほどの船好きだったそうだ。すでにこの頃から立派な研究極道である。もうこの頃から先生の人生は大きいくくりでは決まっていたといってもいいだろう。かなり珍しい子かなと思うところだが、当時は友だちと船に乗りに行ったというから、船少年もそこそこはいたようだ。いまの鉄道好きとおなじような感覚だろう。まず私たちは、当時の人々にとっての「船」の感覚を想像するところからはじめよう。移動の第一ないし第二オプションは、船。次が鉄道。その次は飛行機、人力車や徒歩など。

早稲田大学に進学し、第一文学部の史学科で学んだ。なんと私の先輩だったのだ。てっきり造船などに詳しい人が歴史を研究しているのかと思って、理系の方なのかと思っていたが、そうではなかった。それにしても物のない時代に文学部で学ぶというのは相当な覚悟である。

卒業論文は、「海賊」について。変わってないなあ、いまと。海賊って。とはいえ、図書館で論文を探していると、海賊に関する研究論文はたまに見かける。昔もいまも海賊はいるからだ。

先生が卒論で研究した「海賊」は、中国の明時代の海賊についてだった。これは、私たちの知っている言葉でいうと「倭寇《わこう》」のことである。倭寇はれっきとした海賊だ。発端は日本人なのだが、やがて中国人が倭寇の姿をして好き放題しはじめる。その実体を調べるのがこの論文のテーマだったそうだ。なんだかんだいって日本の船の歴史がちゃんと絡んでいるところがすごい。

大学を卒業後は、研究の道に進まず、東京都の職員として就職した。その後、55歳で退職するまで、30年以上に亘《わた》り東京都政を支えた。身体が悪かったので、退職を早めたそうである。

そうなのだ。なんと、山田先生は、在野の研究者、アマチュアだったのだ。「坊っちゃん」と瀬戸内航路」を発表した日本海事史学会では、初期から参加している、会の歴史54年を知る数少ない人物だ。

まずアマチュアでひとつのことをここまで追究している人がいるというのに感動する。私の母方の祖父が在野の研究者で、鎌倉時代初期の仏像の研究をやはり亡くなるまでやっていたので、ここでも親近感がわく。研究は肩書でするものではない。どこででも続けられるものなのだ。

先生が、生涯をかけて追い続けたテーマは、明治から大正、昭和初期の「汽船」の研究と、「移民船」の研究だ。1998年に、『船にみる日本人移民史—笠戸丸からクルーズ客船へ』(中公新書)という本も出版している。

船というと、造船工学などの研究はさかんだが、文系っぽい「船の歴史」の研究は下火になっている。和船という戦国時代や江戸時代に使われた船の研究は盛んだが、明治、大正になってからの汽船の研究は資料がないことや人気がないことでほかに研究している人はいない。ここは、なんとしてでも自分が形に残しておかないと、後を追う人もいないし、このまま汽船の歴史は闇に消えてしまうかもしれない。なにより先生は「汽船」が大好きだった。蒸気で動く躍動感。あの船の存在を、文化と歴史として記述していきたい。そんな使命感で、80歳の現在まで船の研究を続けている。

55歳からその後はどうしたのですか？　と質問すると、満面の笑みで、

「55からはだいたい船旅ですねぇ」。

と返ってきた。ずっと船に乗ってる！

漱石との出会い

そんななか、先生はいろんな人にこの「汽船」の研究に興味を持ってもらえるようなテーマはないだろうか、と思案していた。

ある日、江戸東京博物館の「文豪・夏目漱石展」に足を運んだ際、漱石が明治28年、広島経由で松山に至ったという記述を読み、直感した。これはちがう、と。

「船をやっている人なら、明治期の船の交通の拠点は神戸であり、広島での船の航行まで使っているのは地元の人だけだと知っている。漱石は神戸から松山へ行ったのではないかと思った」、ということである。「船をやっている人」という表現が、なんと

も専門家らしい。ふつう、船は乗るもので、やるものではない。船をやるってなんだよ。

そこから、『増補改訂漱石研究年表』の荒正人《あらまさひと》、そして漱石研究でも高名な江藤淳《えとうじゅん》、両氏が支持している「広島経由説」に異を唱える準備に入るわけである。というか、説というより、両氏が広島経由で松山に行ったと、書いているんだけど、どこまで確信をもって書いたかはわからない。とはいえ、どこ経由で松山に入ったかを、これまでも何人かが真剣に考えてきたんだな。こんな議論があったことも知らなかったわ。

「直感で思ったことでも、証明しようとすると資料がなかったりで、難しくてねえ、思ったよりも手がかかりました」、と先生は語った。

先生には早稲田大学時代の史学科の同級生が広島にいた。彼はこの論文を書きはじめた当時、広島市の郷土博物館の館長をつとめていた。彼には広島駅から宇品港までのルートと、人力車で向かった際の時間を計ってもらった。さらに広島駅から宇品まで貨物を運ぶ川船のことも調べてもらった。山田先生も広島に2回行き(!)、広島経由の場合に漱石が通ったであろうルートを歩いてみた。どこまでやるんだよ！

そしてそんなことは論文には一行も書いていない。あらゆる可能性を考慮して、検討し、「特別なことはなにも得られなかった」ということを突き止めるまでも調査する。この論文にはそういう「書かれていない時間」も流れている。

当時の船の特定と、そのスピードの計算は、船仲間の先生にお願いした。

この論文には先生の船仲間の大勢が協力した。愛媛の郷土史家山崎善啓氏の講演録も入手し、直接会いにいったりもした。山崎先生が主張する「赤穂丸」という船がいつ就航したかを調べたら、漱石が松山に向かった4月から2ヶ月後の6月であったことを突き止め、これをもって広島経由説の可能性をまたひとつ潰《つぶ》した。そのことも、本文には書かれていない。誠に泥臭い研究である。かっこよすぎ！

広島経由で行った場合、なぜ8日の夜あたりに旧満州に行く直前の正岡子規に会っていないのか。専門家は子規が10日に出航する準備で忙しく会わなかったのではないかと主張するが、もしそうだったら、子規がどの宿にいるかも知っていた漱石が、自分の出発をはやめて4月7日以前に東京を出ていてもおかしくない。それすらしておらず東京を出たということは、最初から子規には会わない前提で家を出たにちがいない。広島経由説を否定するのでも、さまざまな角度から検証しないと、最後まで可能性が消えない。

「苦しかったですか、楽しかったですか」とうかがうと、即答で「楽しかった」と笑顔で答えた山田先生。その「楽しかった」感じが手に取るように伝わってくる論文だ。

同級生はその後亡くなった。この論文は、明治・大正の海事に詳しい人たちを動員した、歴史的なものだったのだが、いまは関わった人たちもひとりずつ鬼籍に入っている。

だからこそ、だれでもが読みやすい形にしている山田先生の文章には、仲間の意思も行間からにじんでいて、楽しい。私がなによりもこの論文に魅了されたのは、まさにそんな「行間」を随所から感じたからだ。

「そこは、お風呂ある？」

お会いするなり、私が神戸を訪れたときの話をしたところ、「花隈《はなくま》」地域に興味を持った先生。

喜んで私の話を聞いてくださった直後、すぐこの質問が飛び出してきた。

「そこは、お風呂《ふろ》ある？」。

一瞬なんのことかわからなかったが、神戸の花隈にある、漱石が入ったかもしれない料亭には、漱石が入ったかもしれないお風呂があるかどうか、ということだった。

「漱石は、寄港先寄港先で、お風呂に入ってるんですよ。イギリスに行くときも、国内の移動の際も、船から降りると友だち連れてお風呂に入ってたみたいですね。だから、神戸についたときも、長旅の疲れを風呂で癒《いや》したんじゃないかと思うんですよ」。

この想像力！　そうかあ、一日かけて鉄道に乗ってきた神戸で、まずは風呂に入る。そしてなにかを食べる。寝る。出かける。そういうことをしていたのではないかというのだ。もうここまでくると、「漱石が松山まで行ったときのタイムスケジュール」まで頭で構成している。ツアーコンダクターばりのシミュレーションだ。

証拠もある。漱石は後年、イギリスにいく前には芳賀矢一《はがやいち》（國學院大學の学長を務めた国文学者）の紹介で、諏訪山にあった「中常盤」という料亭に寄ってお風呂に入っていることが確認されているし、長崎に立ち寄った際は、しっぽく料理屋に行って、お風呂に入っていたことも、調べてわかっているというのだ。漱石、行動の傾向までバレちゃってるぞ。

漱石は船酔いしやすい体質だったが、明治の人は船に乗るしかなかった。そんな漱石が、仕方なく船旅をするとしたら、その前後になにをしていたのか。そこまで想像を張り巡らせる。

そして次に山田先生の口から出てきたのは、こんな言葉だった。

「8日の朝、漱石はどこでなにを食べたんだろう」。

人間だから、お風呂にも入るし食事もする。トイレにも行く。当時の船を頭のなかで再構成して漱石の行動を復元すると、食堂がないタイプの船に乗るわけだから、旅館か料亭で作ってもらったお弁当やおにぎりなどを食べていたかもしれない、と結論付ける。

「漱石は、旅行先では旅館の人にお弁当なんかを作ってもらってるんですよね」。

もちろんこれも単なる妄想ではなく、それ以前の行動から推測したものだ。ここまで想像する。

研究とは、「想像する」ことが大事だ。ただわかっているもの、書かれているものを読んでも真実はわからない。ここでこういうことがあったんじゃないかと想像することで、新たな資料にあたっていく。

漱石が、120年前の神戸で10時間を過ごすとしたら、どこで休憩してどこでお風呂に入り、なにを食べたのか。それがとにかく知りたいと、80歳の研究者はいったのだ。

日本のドラマや小説を見て、「僕が悪い」と思う

研究者として尊敬するところしかない先生だが、驚かされた発言はほかにもあった。

それは、日本のドラマを観たり小説を読んだりしたときの、明治・大正期の「船」の描かれ方についてである。

「タイタニックという映画を観たときに、船の様子が実際の史実とあっていてビック

りしました。エンジンルームや一等船室など、きれいに再現されていたんですよ。それで、エンドロールを見ていたら、アメリカの客船史の研究家が、参加しているんですよね、ちゃんと」。

船の研究のなかには「客船史」というジャンルが存在している。先生が研究している「移民船」も客船だ。客船史家が映像制作などにも加わっているから、しっかりとしたものが作られている。ところが、日本の、幕末から明治・大正にかけてのドラマや映画、さらにその時代を描いた小説などを読んでも、山田先生は違和感を覚えてしまう。「この時代にこの船はなかったんじゃないか」「その時代の船の客室には照明はなかったのではないか」など、気になるところが多いというのだ。

そのとき、先生はしみじみ思うのだ。

「ごめん、僕が悪いんです、と思うんですよねぇ……」。

なにをいっているんだろう。船オタクだったら、「あそこちがう！」「それはない」とかいいそうなものだが、「僕が悪い」？

真意を確認する。僕が悪いというのは、どういうことか。

「こういうことは、書いている作家や作った監督の責任ではなく、我々の責任なんです」。

なんだって⁉

「当時のことを調べて、形にして、それをなんらかの形で発信しないといけないんです。それができていないから、違和感のあるものが出てくる」。

自分の責任で「いい加減な描かれ方」がされるというのだ。すごいレベル！

「明治以降は、資料もあんまりまとまっていなくて、わかってる人がいないんでねぇ……。実体を残していかないといけないなと思ってるんです。でも、やらないうちに死んじゃいそう……」（遠い目）。

自分の関わっているジャンルが世間に誤解されて伝わるということはよくあるが、

それを「自分の責任」と思うのが専門家の意識なのだ。

もう一度先生のおっしゃったことを整理すると、

①調べる

②形にする

③発信する

この3つの段階を経るのが専門家、研究者の使命だという。

①調べるというのは、調査である。資料を探し、それを読み取ったり整理したり考察したりする作業で、②というのはそれを論文なり書籍にする作業だ。そして、書いて形にするだけではなく、より大勢の人に知らしめる「発信」という作業を怠ってしまうと、結局②も存在しないことになってしまう。

多くの研究者が②までで満足してしまうのが現状だ。論文が雑誌に掲載される。本当はその雑誌をより多く販売したり購読してもらうように働く人がいてもいいのかもしれないが、実質そこまで手が回らない。③までが研究者の仕事、あるいはジャンルの責任だという。

だからこそ、先生は明治・大正期の汽船の存在とその知識を啓蒙《けいもう》できるようなテーマを選んでこの論文にまとめたのだ。見事、私のような門外漢を釣ることに成功した。山田先生の「③発信する」が実った証拠だろう。最近ではこのことは「科学コミュニケーション」などといって、学問が実際にどのような成果をあげているのか、一般の人にもわかるように伝えることとしてその重要性が認識されはじめてきたところだが、先生がこの論文を、だれが読んでも理解できる言葉と構成で書いたのは、まさに「科学コミュニケーション」として船の歴史をプレゼンしたことに等しい。

「（この論文は）エンターテイメントとして書いたんです。たまにはこういう、読み物みたいなものがあってもいいんじゃないかと。普通は論文には「おわりに」とかがあるけど、この論文はない。それでいいと思った」。

と先生はいう。研究はエンターテイメントである。

そう、「こうして、東京から松山まで、二泊三日、五一時間の大旅行は終わった」というラストセンテンスは、「おわりに」はいらないと判断したからこその名文だった。今後の課題や、現状の研究の問題点などを書くよりも、エンターテイメントとして書く、ということを意識したからこそ完成した一文である。

自分が悪い、と思い、発信しなければという姿勢になるのは、さらに別の問題意識がある。というのは、船の研究をしていてずっと悔しい想いをしているというのだ。それは、東アジアで、国立の船の博物館がないのは、北朝鮮と日本だけだということだ。

台湾には国立の海事博物館が２つもあるというのに、四方を海に囲まれ、船の歴史も長いこの日本という国に、国立の博物館がない、というのは驚きだ。これは海事関係の研究者たちの積年のコンプレックスとなっているようだ。

大小問わず、各自治体には小さな、船の博物館のようなものがあるものの、国立のものがない、というのは、専門家の努力が足りない、発信力が足りない、という想いを背負っているのだった。

船一筋80年

「汽車も好きだけど、やっぱり船ですねえ。体力がおちて欧米に飛行機で行けなくなったんで、ボケ防止で台湾に行くんですけどね、台湾では「乗り鉄」というやつで。鉄道に乗ります。

東海岸の曲がりくねったカーブの多いところを、ものすごいスピードで日本製の特急電車が走っていて、景観が素晴らしい。

昔は、トロッコのゲージの鉄道が走っていたりもしたし、いまある建物も日本統治時代の建物が残っていて、まだ使っていたりもして楽しい」。

先生の興味は尽きないようだ。ところでボケ防止に台湾に行く、というスケール感はすごい。ただ、こうなると心配なのが、「ヘンな論文」を書いている先生たちにありがちな「家族の理解が得られていない」というパターンだ。が、山田先生はそのへんは理解を得られているらしく、船旅も奥様や娘さんを連れて行っていたそうだ。一安心。

これからの野望を聞くと、

「移民船の研究は、自費出版本でも出そうと思ってます。前に出した本では南米しか扱えなかったんですけど、北米と、ハワイに関しては発表していません。移民船史は、後続する研究者はいない。客船史をやる人はいるが、移民船をやらないんです。でも、大西洋の航路というのは、3等の船賃で支えられていた。つまり客船史をやってると、移民船史をやらないとなにもわからない。必ずだれかがやるべきことなんです。ブラジルのほうでは研究が盛んで、サンパウロには移民の博物館まであるのに、日本にはない。だから、これは形にしておかないと」。

と、おっしゃった。まだ静かに燃えている。

「海事史学会でも反響がなかったのに、こうして読んでくださっている人がいたことを知ることができてうれしいです。

80年、生きてて良かった」。

先生の好奇心は、まだ少年のものとおなじく、衰えていない。

「文豪と船」シリーズの書籍化も、よろしくお願いします！

番外編Ⅱ 「坊っちゃん」と瀬戸内航路 全文

山田廸生（海事史研究第六六号）

はじめに
一 松山への赴任経路は謎
二 荒正人氏の広島経由説
三 松山赴任経路を推理する
四 石崎廻漕店の芸予《げいよ》航路
五 漱石は神戸から汽船に乗った
六 漱石は「攝津丸」に乗った

はじめに

夏目漱石は明治二八年（一八九五）四月、愛媛県尋常中学校の英語教師として松山へ赴任した。(*1) 同校をやめたのは翌年四月。そして同じ月、第五高等学校の講師として熊本に転任した。松山にいたのは約一年間であった。

小説『坊っちゃん』は、漱石の松山での体験をもとにしている。(*2) 描かれているのは明治二〇年代末から三〇年代の情景とみてよいだろう。ちなみに、漱石が『坊っちゃん』を雑誌『ホトトギス』に発表したのは、明治三九年四月号である。

ところで、「坊っちゃん」は赴任するとき、どのような経路をたどって東京から松山まで行ったのであろうか。

これについては、文中のどこをさがしても書いていない。だが、教師生活に見切りをつけて東京へ帰るときの交通手段と経由地については記述がある。作品の最後の部分に、こう書かれている。

汽船は夜六時の出帆である。山嵐もおれも疲れて、ぐうぐう寝込んで眼が覚めたら、午後二時であった。（中略）その夜おれと山嵐はこの不浄な地を離れた。船が岸を去れば去るほどよい心持ちがした。神戸から東京までは直行で新橋へ着いた時は、漸く娑婆へ出たような気がした。(*3)

これをすなおに読むと、松山（三津浜だが）から神戸まで汽船を利用し、神戸で官営鉄道（東海道《とうかいどう》線）の直行列車(*4)に乗って新橋へ帰った。そう読みとれる。

してみると、「坊っちゃん」が松山に赴任するときは、その逆で、新橋から神戸までは東海道線の直行列車を利用し、神戸から三津浜までは汽船に乗ったのにちがいない。

一　松山への赴任経路は謎

では、実際に漱石が松山へ赴任したとき、どういう経路をたどって、東京から松山まで行ったのであろうか。
これが意外にわからないのである。とくに神戸～松山（三津浜）がわからない。この時代の漱石の日記はないし、知人にあてた書簡にも、くわしく書いていないからだ。関連する書簡は二通ある。一通は、明治二八年四月九日付の狩野亨吉[*5]あてのハガキ。松山市内の旅館「城戸屋」[*6]から出したものである。

拝呈迂生去る七日発今九日午後二時頃当市へ著仕候右安著の御報まで余は後便にて申上候猶御用の御節は中学校宛にて郵書御差出被下度願上候[*7]

これをみると、明治二八年四月七日に東京を出発し、翌々日の九日の午後二時頃に松山へ到着したことになっている。
もう一通は、同月一六日付の神田乃武[*8]あての手紙で、松山市内の「愛松亭」[*9]から出したものである。

拝呈出立の節は色々御厚意を蒙り奉万謝候私事去る七日十一時発今九日午後二時頃当地着仕候間乍憚御安意被下度候（以下略）[*10]

この手紙は狩野亨吉あてのハガキよりもややくわしく、東京を出たときの時間を「十一時」と書いている。ただし、一一時に出発した場所が、新橋駅なのか居住地なのか、これだけではわからない。なお、一一時というのは午前一一時のことである。当時、新橋を夜間に出発する汽車はなかった。

ともあれ、漱石の二通の関連書簡、すなわち狩野亨吉あてのハガキと神田乃武あての手紙でわかることは、次の二点だけである。

①明治二八年四月七日午前一一時に東京を出発したこと。

②四月九日午後二時頃に松山市内に到着したこと。

旅行経路や交通手段についてはまったく触れていない。だから不明部分は、当時の交通事情を調べることによって推理するしかない。

逆にいえば、これは実におもしろい研究テーマでもある。漱石研究者だけでなく、明治の交通史、とくに鉄道史、海運史に関心のある研究者にとっては、これを調べることによって、当時の交通事情がみえてくる。

漱石の研究者は、実に多い。多くの研究書が刊行され、おびただしい数の論文が書かれてきた。東京から松山への旅行経路と交通手段についても、研究者のあいだでさまざまな推理がなされてきた。

この問題、通説では一体どうなっているのだろうか。一般例として、平成一九年秋に江戸東京博物館で開催された「文豪・夏目漱石」展の図録の記事を紹介しよう。問題の部分は次のようになっている。

一八九五年（明治二八）四月七日、漱石は、四国松山に向けてひとり新橋停車場を出発した。神戸、広島を経て、広島宇品から松山の外港三津浜までは船を使い、またそこから伊予軽便鉄道に乗るという長い旅路の末、漱石は四月九日ついに松山に到着した。(*11)

ご覧のように広島経由説である。この部分の執筆者は江戸東京博物館学芸員の橋本由起子氏である。私は橋本氏に出所を尋ねた。荒正人氏の(*12)『増補改訂・漱石研究年表』(*13)による、との回答をいただいた。

二　荒正人氏の広島経由説

荒正人氏が昭和五九年(一九八四)に発表した大冊『増補改訂・漱石研究年表』(以下、『漱石年表』と略す)は、漱石の生涯の事項と作品を日付順に整理し、補足事項と注釈を加えた浩瀚《こうかん》なものであり、研究者にとって「座右の書」となっている。『漱石年表』は、漱石の松山への赴任経路と交通手段をどう書いているか。関連部分を抜き書きしてみよう。

★四月七日(日)、曇。午前十一時四十五分(推定)、新橋停車場を出発する。(実家から旅立ったかどうかは分らぬ)
★四月八日(月)、午前七時三十五分、神戸停車場に着く。九時(不確かな推定)、神戸停車場を出発、午後五時五十六分、広島停車場に着く。宇品から船で三津浜港に向う。
★四月九日（火）、晴。満月。午後、三津浜港に着き、午後一時四十一分、三津浜停車場発の伊予軽便鉄道に乗り、古町停車場を経て、二十分程かかって、午後二時外側（松山市）停車場に到着。（運賃三銭五厘）(*14)

こういうことである。新橋（東海道線）↓神戸（山陽《さんよう》鉄道）↓広島↓宇品（汽船の夜航便）↓三津浜（伊予鉄道）↓松山。

つまり、広島経由説である。経路などの紹介は、まことに詳細をきわめている。なにしろ、鉄道の部分は分刻み。まるで、漱石から聞いてきたような正確さだ。対照的に、海路の部分はかなりあいまいである。

私の補足を加えながら、荒氏の推理による漱石の旅行経路を検証してみよう。

まず、四月七日、漱石は新橋停車場から、東海道線の午前一一時四五分発神戸行の直行列車に乗った。神戸到着は荒氏によれば、翌朝（八日）の午前七時三五分である。神戸で民営の山陽鉄道に乗り継いだ。午前九時神戸発の広島行の急行である。急行列車は、その日（八日）の夕方の五時五六分に広島に到着する。到着後、広島駅から宇品港へ移動し、三津浜行の汽船に乗った。その日のうちに乗船したのだから夜航便である。

そして、船中で一泊し、翌日（九日）の午後、三津浜に着いた。とすると、かりに汽船が深夜に出航したとしても、宇品〜三津浜の芸予航路に一二時間以上を要したことになる。宇品〜三津浜の航路は、そんなに時間がかかったのだろうか。

それに第一、当時の芸予航路に夜航便があったのかどうか。あったとしたら、発着時間はどうなっていたのか。漱石の松山赴任経路を推理するには、東海道線、山陽鉄道など陸路の歴史を調べるだけでなく、海路についても知る必要がある。

荒氏の広島経由説において、宇品と三津浜をむすぶ芸予航路の部分が、陸路とは対照的にあいまいなのは、何故であろうか。

実は、荒氏が昭和四九年（一九七四）に発表した最初の『漱石研究年表』(*15)では、内容はきわめておおざっぱなものだった。関連部分を引用しておこう。

★四月七日（日）、新橋停車場を出発。（実家から旅立ったかどうかは分らぬ）

★四月九日（火）、午後三津浜に着き、軽便鉄道に乗り二十分程かかって、午後二時頃松山市に到着（運賃三銭五厘）(*16)。

四月七日に新橋を出てから、九日の午後に三津浜に着くまで、途中のことはほとんど書いていない。広島を通過したかどうかもわからない。これは一体どうしたことか。考えられるのは、昭和四九年の『漱石研究年表』から、同五九年の『漱石年表』までの一〇年間に、有力な史料それも鉄道史料が公刊されたのではないか、ということだ。

事実、まさにピッタリの鉄道史料が昭和五六年に刊行されている。日本で最初の月刊時刻表の復刻版である。広島の古書店「あき書房」がこれを出版した。この復刻版が世に出たことで、当時の汽車の発着時間を知ることが容易になった。

　原本は、明治二七年（一八九四）一〇月に東京の庚寅《こういん》新誌社(＊17)が発行した『汽車汽船旅行案内』の創刊号である。活版印刷でB6版。九四頁。定価は六銭。現代の月刊時刻表にみられる内容のほか、論説、時事情報、紀行文、名所案内、小説まで盛り込まれており、読むだけでも楽しい冊子である。

　発行者は手塚猛昌《てづかたけまさ》(＊18)。手塚の師である福沢《ふくざわ》諭《ゆ》吉《きち》の示唆による刊行とされているが、一説では、三菱《みつびし》初期の経営者のひとりである荘田平五郎《しょうだへいごろう》(＊19)のすすめによるものであるという。たしかに、荘田の伝記(＊20)にそう書いてある。すなわち、荘田が手塚に『汽車汽船旅行案内』の着想を伝えたこと。手塚の実業界への紹介宴を開き、なにくれとなく世話したこと。庚寅新誌社の設立資金をポケットマネーから貸したこと、などである。

　私は、荘田の創意によるものとみている。当時、山陽鉄道の取締役をつとめていた荘田が、『汽車汽船旅行案内』創刊号で祝辞を述べていること。荘田が手塚と同様、慶應義塾《けいおうぎじゅく》に学び、福沢諭吉の薫陶をうけていたこと。豪傑ぞろいの三菱の経営者のなかで、数少ないイギリス通であったこと。これらを考えると、そう思いたくなる。

　鉄道先進国のイギリスにはむろん、その半世紀以上も前から月刊時刻表があった。『ブラッドショウ鉄道時刻表』(＊21)がそれで、シャーロック・ホームズ探偵物語にも登場する。手塚は『汽車汽船旅行案内』創刊号の序文「発刊に就て」の文中で、『ブラッドショウ』を参考にしたと述べている。

実は、この庚寅新誌社の『汽車汽船旅行案内』の創刊号は、原本が見つからず、長いあいだ「幻の冊子」であった。ところが近年、岡山市の旧家でこれが発見され、昭和五六年に「あき書房」を経営する石踊一則氏が復刻版を刊行したのである。

荒氏の『漱石年表』が発表されたのは、この復刻版が出た三年後のことである。荒氏が漱石の松山赴任経路を書くにあたり、これを参考にしたことは間違いない。そのことは、荒氏の記述と、復刻版の汽車発着時刻をつき合わせてみると、すぐにわかる。荒氏の記述で、宇品から三津浜への芸予航路の部分があいまいであることも、この復刻版をみれば説明がつく。『汽車汽船旅行案内』の創刊号には、芸予航路（宇品〜三津浜）の情報が出ていないのである。

結局、漱石の松山赴任経路の海路の部分を推測するには、別の史料にあたってみるしかない。てっとり早くそれを調べるには、当時の芸予航路の新聞広告をみればよい。当然、地方紙を調べることになるが、宇品発着の汽船の広告は、『芸備日日新聞』(*22)に出ている。同紙は国立国会図書館にマイクロフィルムがあり、簡単に調べることができる。また、『汽車汽船旅行案内』の後続号もその後、出版社によって復刻されている。

三　松山赴任経路を推理する

では、こうした史料群を机上に置いて、漱石の松山赴任経路を推理してみよう。はじめに、たしかな事実を再確認しておく。

たしかな事実の再確認といっても、それは、漱石が狩野亨吉と神田乃武あてに出した書簡による事実しかない。つまり、四月七日の午前一一時に東京を出発し、九日午後二時頃松山に着いたということ。はっきりわかっていることは、この二点だけだ。

まず、四月七日午前、居住地を出発した漱石は人力車で新橋駅へ行った。この時期の漱石は、高等師範学校の嘱託教師（英語）であり、小石川伝通院《こいしかわでんづういん》の近くの法蔵院《ほうぞういん》に下宿していた。だが、荒氏の『漱石年表』には、その数日前にここを出たとある(＊23)とすると、牛込馬場下《うしごめばばした》の実家からであろうか。その辺のことは、荒氏がいうようにはっきりしない。

次いで、漱石は神戸行の官有鉄道・東海道線の直行列車に乗った。ターミナルは旧新橋駅、のちに貨物駅になった汐留《しおどめ》駅の場所である。ちなみに、この日は日曜日である。

『汽車汽船旅行案内』の復刻版によると、直行列車は一日に三本。朝六時二〇分発、午前一一時四五分発、夜九時五五分発の三本である（急行はまだない）。当然、漱石は午前一一時四五分発に乗ったはずである。『漱石年表』でも、そうなっている。

午前一一時四五分新橋発の直行列車は、静岡のあたりで夜になり、車中で一泊。翌八日の朝六時五五分に神戸に到着する。荒氏のいう午前七時三五分よりも四〇分早く着く。新橋〜神戸の所要時間は約一九時間。新橋〜神戸の運賃は、三等にあたる下等が三円七六銭、中等（二等）が七円五二銭（下等の二倍）、上等（一等）が一一円二八銭（下等の三倍）であった。(*24) 漱石は上等に乗ったはずだ。エリートはそれなりの行動をしないと、世間がうるさい時代である。

さて漱石は、神戸からどういう経路と交通手段で四国へ向かったのか。ここは考えどころだ。汽車を乗り継いで広島へ行ったのか。それとも、神戸から汽船で三津浜へ直航したのか。私は神戸〜三津浜の汽船航路をとりたいが、ここはまず、通説に従い、山陽鉄道に乗り継いだとして話を進めてみよう。

この時期の山陽鉄道はまだ民営であり、神戸〜広島間が開通していた。開通したのは前年の明治二七年である。そして、急行列車が一本走っていた。荒氏は述べている午前九時神戸発の汽車である。新橋発の直行列車は、午前六時五五分に神戸に着くから、待ち時間は二時間。接続時間としては、まさにおあつらえむきだ。

神戸〜広島の運賃は、『汽車汽船旅行案内』によると、下等が一円三〇銭である。(*25) 中・上等運賃については同号に記載がないが、明治三一年八月号では、中等は下等の一・五倍、上等は下等の二倍としている。これを適用すると、中等は一円九五銭、上等は二円六〇銭になる。漱石は上等に乗ったのであろう。急行料金については、『汽車汽船旅行案内』には記載がない。とらなかったのである。こんにちの「快速」のようなものだ。

午前九時神戸発の急行列車は、その日（八日）の夕方五時五六分に終点の広島に着く。神戸～広島の所要時間は九時間である。広島駅の位置は今と同じであった。広島駅から宇品港までは、人力車で行ったのだろう。距離にして六キロほど。人力車としてはかなりの距離だが、乗り継ぎという手もある。(*26) 広島と宇品をむすぶ宇品線は、あるにはあった。が、軍用であった。

日清戦争のさなか、宇品線は、軍港の宇品から大陸への将兵と物資輸送のため、突貫工事で建設された。山陽鉄道が陸軍省からこれを借り入れ、一般の旅客向けに開業したのは明治三〇年である。

四　石崎廻漕店の芸予航路

明治以来、芸予航路は三津浜に本拠を置く「石崎廻漕店」（「石崎運送店」とも称した）、のちの石崎汽船が主導するかたちでこんにちにいたっている。

石崎廻漕店は幕末の創立。石崎平八郎（創業者の息子）が木造汽船「函洋丸」（三九総トン）をチャーターして、三津浜～宇品の芸予航路を開設したのは明治二三年（一八九〇）である。(*27) 一般の旅行者が芸予航路を利用するばあいは、石崎の船に乗るのがふつうであった。

漱石が松山に赴任した当時、この航路は、汽船三隻を使用し、一日二便の定期航海をおこなっていた。明治二八年一月二九日付『芸備日日新聞』の石崎廻漕店の宇品出帆広告に、従来は一日一便であったが、「來ル二月一日ヨリ毎日二回定期出港仕候」とある。

宇品の出航時間は、毎日、午前九時と午後四時三〇分の二回。途中、呉《くれ》と音戸《おんど》に寄港する。三津浜到着時間についての記事はない。逆方向の三津浜発は、午前一〇時と午後五時の二回となっている。就航船は、「第一相生丸」(四三総トン、登録船名は「相生丸」)、「第二相生丸」(六〇総トン)、「第三相生丸」(一〇九総トン)。いずれも木造汽船で、「第三相生丸」は、新造船であった。この三隻で、一日二便の定期をおこなっていたのである。

芸予航路の汽船広告は、石崎廻漕店のほかにも『芸備日日新聞』に出ているが、いずれも小船主による一日一便の小規模な運航である(*28)。漱石のような東京人が利用する汽船ではない。小船主の汽船は、勝手知った土地の人が利用するはずであり、東京人が乗るとしたら、大手の石崎廻漕店の船であろう。

ともあれ、石崎廻漕店の芸予航路には夜航便はないから、船中で一泊し、翌日(九日)の午後三津浜に着いたとする荒正人氏の広島経由説は成立しない。また、山陽鉄道の急行列車の広島到着は、その日(八日)の夕方五時五六分なので、宇品発午後四時三〇分の船便にも間に合わない。

とすると、漱石は広島に一泊したのだろうか。そして、翌日(九日)の朝、宇品港にかけつけ、午前九時宇品発の石崎廻漕店の汽船に乗ったのだろうか。

広島一泊説(*29)。これはありそうだ。ただしそのばあいは、宇品～三津浜の所要時間が問題になってくる。あとでくわしく述べるが、九日の午前九時宇品発の汽船に乗ったとすると、三津浜にハシケで上陸するのは午後三時近くになる。ところが、漱石は午後二時頃に松山市内に着いているから、午後九時発の汽船では、時間的に苦しい。すなわち、広島に一泊し、石崎廻漕店の午前便の汽船に乗ったという説は無理がある。

八日の広島一泊説には、もうひとつ気になる問題がある。漱石が広島滞在中の正岡子規になぜ会わなかったのか、という疑問だ。

日清戦争の従軍記者となった子規が宇品港の御用船「海城丸」（二三三一総トン）に乗船したのは、四月一〇日の午後二時。遼東半島に向け出港したのは、同日の夕方六時である。出征前、漱石が親友に会わなかったというのは、私には何とも解せない。

加えて、旅館さがしも容易ではなかったろう。大本営がおかれた広島市内では、日本各地から軍人や民間人が急増し、旅館が満杯状態になっていたからだ。

以上、くどくどと書いてきたが、要は、こうである。漱石が九日の午後二時頃に松山市内に着くには、昼頃までに三津浜に入港していなければならない。そのためには、当日早朝に宇品を出航する船に乗らなければならないが、そのような定期便はない。広島経由説は成立しがたいのである。

ところで、広島で一泊し、翌朝九時宇品発の汽船に乗って三津浜へ行った、とする説を検証するばあい、芸予航路（宇品～三津浜）約三八カイリの所要時間が問題になってくる。

残念なことに、一一月二九日付『芸備日日新聞』の石崎廻漕店の宇品出帆広告には、三津浜到着時間についての記事がない。何か手がかりはないだろうか。

例によって『汽車汽船旅行案内』の復刻版をあたってみた。芸予航路の情報が掲載されるのは、明治三〇年代に入ってからの号である。ただし、三〇年代前半は寄港地が漱石当時と異なるので、参考にならない。号を追っていったところ、明治三六年一月号に手がかりがあった。宇品～呉～音戸～三津浜の所要時間が出ていたのである。[*30] この時期、大阪商船と石崎廻漕店は、競合を避けるため芸予航路で協定し、各一隻を配して一日二便を運航していた。[*31] 就航船は、大阪商船が「那智川丸」、石崎廻漕店は「第三相生丸」である。

宇品～三津浜の所要時間は、往復とも、一便が五時間一〇分、二便が四時間一〇分（ともに呉・音戸の寄港時間計一五分を含む）。つまり、一便と二便には一時間の差がある。この差は、「那智川丸」と「第三相生丸」の性能（速力）の差とみてよいだろう。五時間一〇分かかる一便には、主機出力が小さい「第三相生丸」が入っていたはずだ。航海時間の四時間五五分から逆算すると、同船の航海速力は七・七ノットになる。

逓信省管船局『日本船名録』[*32]の明治三七年版（明治三六年一二月末現在）によると、「第三相生丸」は明治二七年建造の木造汽船で、一一〇総トン。最大出力二二馬力記載はない。

いっぽう二便に就航していたと思われる大阪商船の「那智川丸」は、明治三三年（一九〇〇）建造で、一七八総トンの木造汽船。出力三六馬力（公称馬力）の二連成汽機一基を装備していた。(*34) 航海時間から逆算すると、航海速力は九・七ノットになる。

漱石の松山赴任時、石崎廻漕店は芸予航路に木造汽船三隻を投入し、一日二便を運航していた。そして、最も大きくて新しいのは「第三相生丸」であった。その「第三相生丸」の所要時間がわかったのであるから、話を先に進めることができるわけだ。

芸予航路の所要時間が五時間一〇分。ということは、午前九時宇品発の汽船は、午後二時一〇分に三津浜に入港する。さらに、三津浜でのハシケ（手漕ぎ）に三〇分はかかるだろうから、上陸したときには、時計の針は午後三時近くを指しているはずだ。

次いで、人力車で三津駅に行き、軽便鉄道を待つ。『汽車汽船旅行案内』明治二七年一一月号によると、この時間帯では、三津発午後三時四一分しかない。三津駅から松山市内の駅（外側駅）までの所要時間は二〇分。三津浜に入港してから、外側駅に到着するまで、二時間近くかかってしまう。

結局、最終目的地である松山市内に着くのは午後四時。午前九時宇品発の芸予航路の定期船では、松山市内への到着が夕方近くになり、漱石のいう午後二時頃の松山市内到着には間に合わないのである。

宇品～三津浜の芸予航路は、時刻表に出ていないローカル航路であるうえ、山陽鉄道の宇品線が未開業であったから、漱石のような東京人は、広島での乗り継ぎがむずかしかったはずだ。四国西部へ旅する方法として、山陽鉄道と石崎廻漕店の航路を組み合わせた鉄道連絡航路が一般的になるのは、明治三〇年代の後半になってからである。

五　漱石は神戸から汽船に乗った

どうやら広島経由説は成立がむずかしいようだ。となると、漱石は神戸に着いたあと、どうやって松山へ行ったのだろうか。

考えられるのは一つしかない。神戸乗船説である。漱石は、神戸から大阪商船の汽船に乗り、三津浜へ行ったのにちがいない。そう考えれば、これまで繰り返し書いてきた広島経由説への疑問は解消される。

明治二八年当時のわが国は、まだ海路が主体の時代である。とくに、大阪、神戸を基点とする瀬戸内海航路では、現代人の想像をこえる濃密な海上交通網が形成されていた。

そもそもこの時代、神戸から四国へ旅するには、瀬戸内海を走る定期船に乗るのがふつうであった。正岡子規も、神戸発着の定期便をたびたび利用している。だから、庚寅新誌社の『汽車汽船旅行案内』には、宇品発の芸予航路ではなく、神戸発着の瀬戸内航路の情報がくわしく出ているのである。

漱石が松山へ旅した時期に出た『山陽鐵道旅客案内』(*35)も、同様の内容である。その「神戸」の項には、「大阪商船會社の瀛船は大阪より本港を經て中國四國九州の諸港に到り。」とあり、諸港までの運賃を掲載している。「広島」の項には乗り継ぎ情報はない。

では漱石は、神戸から三津浜まで大阪商船のどこ行きの船に乗ったのであろうか。『汽車汽船旅行案内』明治二七年一一月号をみると、神戸を出て三津浜に寄港する航路は、細島《ほそじま》線と宇和島《うわじま》線の二つである。ターミナル港（基点港）は、大阪商船の長距離の瀬戸内航路のばあい、ほとんどが大阪の川口《かわぐち》波止場(*36)となっている。ただし『汽車汽船旅行案内』では、基点港は神戸であり、大阪発とはなっていない。神戸が官有鉄道（東海道線）と山陽鉄道のターミナル駅であるため、鉄道連絡の便がよいからであろう。

大阪商船の細島線は、大阪、神戸を出航したあと、四国と九州《きゆうしゆう》の港をまわり、最終港の細島にいたる航路である。途中の寄港地は、高松《たかまつ》、多度津《たどつ》、今治《いまばり》、三津浜、長浜《ながはま》、別府《べっぷ》、大分、佐賀関《さがのせき》、臼杵《うすき》、佐伯《さいき》、土々呂《ととろ》。神戸〜細島の所要時間は四六時間。内航とはいえ、二泊三日の大航海である。

いっぽう宇和島線は、大阪、神戸を出たあと、四国と九州の港をまわり、四国の宇別府、大分、佐賀関、八幡浜《やわたはま》に寄港する。途中港は、長浜までは細島線と同じ。そのあと、日出《ひじ》、別府、大分、佐賀関、八幡浜に寄港する。神戸〜宇和島の所要時間は、細島線より短いが、やはり二泊三日かかる。

両航路の航海日程は『汽車汽船旅行案内』によると、ともに四〜六日に一便で、細島線は偶数日、宇和島線は奇数日に大阪・神戸を出航する。一見して、この出航間隔では毎日は乗れそうにない。ところが、『汽車汽船旅行案内』の該当頁の欄外注記をみると、「本表ノ外、馬關線、細島線、宇和島線ハ毎日不定期往復アリ。其他モ大概ハ毎日汽船ノ往復アリ」と書いてある。さらに『大阪商船株式會社五十年史』は、この時期、両航路とも「隔日発航」していた、と述べている。(*37)

細島線と宇和島線は、途中の寄港地が、長浜まで同じなので、奇数日と偶数日に出航日をわけることでスケジュール調整し、両航路で一日一便の定期、今様にいうとデイリーサービスを実施していたのである。事実、『大阪朝日新聞』の大阪商船の出帆広告(大阪発)によると、偶数日・細島行、奇数日・宇和島行の日程で、一日一便の定期がおこなわれている。三津浜へ行くばあいは、細島線、宇和島線のどちらに乗ってもよいわけだから、定期便が毎日あることになる。神戸の出航時間は、いずれも夕方五時三〇分であった。

ここでもう一度、漱石の東京から神戸までを復習しておこう。漱石は四月七日、午前一一時四五分新橋発の直行列車に乗り、車中で一泊。翌八日の朝六時五五分に神戸に到着した。ということは、朝の七時前から夕方の五時三〇分まで一〇時間半、神戸で船を待つことになる。ならば、新橋発の直行を、もうひと列車遅らせたほうがよいのではないか。

午前一一時四五分発の次の直行列車は、約一〇時間後の夜九時五五分発である。ところが、夜九時五五分新橋発の直行列車に乗ると、神戸に着くのは夕方五時三〇分。つまり、大阪商船の定期船の出帆時間と同時刻であり、船に乗れない。結局、午前一一時四五分新橋発の直行に乗るしかないのである。

約一〇時間の神戸での待機はたいへんだが、神戸は国際文化のかおりが漂う港町である。神戸見物をしたり、店をのぞいたり、買い物をしたり、教養人の漱石にとっての一〇時間は、ほどほどの待ち時間だったはずだ。

八日の夕方五時三〇分の乗船。ということは、偶数日だから、細島線を利用したはずである。ちなみに、神戸〜三津浜の運賃は、下等（三等）が一円二〇銭、中等（二等）が一円八〇銭（下等の五割増）、上等（一等）が二円七〇銭（中等の五割増）である。[*38]

ところで漱石は、神戸のどこから汽船に乗ったのであろうか。神戸港は広い。北側の山地を背に、東西に広がっている。横浜と並ぶ国際港だから、外航船のエリアがかなりのスペースを占める。では、明治中期の瀬戸内航路の汽船は、どこから発着したのか。

これが意外にわからないのだ。神戸港関連の歴史書は、『神戸開港三十年史』[*39]、『神戸開港百年史』(*40)などいくつかある。だが、国際港である神戸の性格上、外航船中心の記述になりがちであり、内航船のことを調べるには、いささかもの足りない。結局、明治中期の瀬戸内航路の波止場についても、推理に頼らざるをえない。

はっきりしているのは、まず、神戸の内航船発着地が、「神戸」と「兵庫」の二港にわかれていたことである。『汽車汽船旅行案内』をみると、大阪商船の細島線、宇和島線、馬関線、鹿児島線など長距離航路は神戸から発着し、洲本《すもと》線、徳島線、坂越線といった近距離航路は兵庫から出ている。

当時、神戸港は東の神戸港と西の兵庫港にわかれていた。その境界線は、改修工事によって川筋が西に移る前の旧湊川《みなとがわ》である。

兵庫港は古くからの港町である。この地の島上海岸には、明治二〇年代の初めから、「島上栈橋」とよばれる内航船のための浮き栈橋が設けられており、大阪商船などの内航定期船が発着していた。(*41)

いっぽうの神戸港は、外国人居留地を中心に発展した新興港であり、外航船のための港湾施設が充実していた。だが、内航船用の施設がなかったわけではない。明治中期以後はむしろ、長距離のおもな瀬戸内航路の船は、兵庫ではなく、神戸側から発着していた。これは現在も同じである。

つまり、漱石は神戸側の内航船波止場から大阪商船の汽船に乗ったわけだ。では、神戸側の内航船波止場は、どのあたりにあったのか。これもわからない。神戸港関連の史書をひもといても、はっきり書いてない。

私は、今の中突堤（中央区）のあたりにあったはず。そう考えている。メリケンパークの西寄り海側である。根拠はいくつかあるが、最も信頼できる史料は、『大阪商船航路案内』の神戸の記述である。私が所蔵する『大阪商船航路案内』は、漱石が松山に赴任した八年後の明治三六年（一九〇三）に大阪の駸々堂が発行したもので、神戸については、次のように紹介している。

一、神戸は臺灣航路の起点地及寄港地にして且韓國航路、瀬戸内航路、九州航路、南海航路の各寄港地なり

一、我社神戸支店(＊42)及船客待合所は海岸通三丁目に設けありて、直に桟橋又は艀船に乗移ることを得べし

（中略）

一、内地各航路滊船は概ね桟橋に繫留し、陸地より直に本船に昇降することを得(＊43)

つまり、瀬戸内航路などの船客待合所は海岸通三丁目にあり、ここから桟橋に直行することができたのである。海岸通三丁目は今の中突堤のあたりである。漱石の松山赴任当時も、瀬戸内航路の発着地は、これと同じ場所であったにちがいない。

駸々堂の『大阪商船航路案内』の神戸の項には、海岸通三丁目の桟橋から三宮駅、神戸駅、それに兵庫桟橋までの距離と、人力車の車賃も紹介されている。

○交通
一、桟橋より三宮停車場迄七丁　車賃七銭
一、同神戸ステーション迄十丁　車賃拾銭
一、兵庫桟橋迄十五丁　車賃拾弐銭(*44)

三宮駅は今の元町駅であるが、桟橋からここまで七丁、ということは約〇・八キロである。桟橋から神戸駅までは一〇丁、つまり約一・一キロ。大阪商船の発着地は、神戸駅よりも旧三宮駅にやや近かったのである。

漱石のばあいは、神戸駅で下車してから、かなりの待ち時間があったので、波止場に直行したわけではなかろう。神戸のどこかで、漱石らしい一〇時間をおくり、それから波止場へ向かったのではないか。

六　漱石は「攝津丸」に乗った

本題の漱石の船旅に戻り、四月八日の夕方五時半に神戸を出航し、翌九日の午前一一時四〇分に三津浜に到着するまでの約一八時間の船旅について考えてみよう。漱石は一体、どんな船に乗り、この一八時間をどう過ごしたのであろうか。

むろん、漱石はこれについて何も書いていない。だから、当時の客船史料にあたり、あとは想像力を働かせるしかない。まずは、『汽車汽船旅行案内』を開いてみよう。

残念ながら、これには細島線も宇和島線も、汽船の記事はない。発着日時と運賃の記載があるだけだ。また、『大阪商船五十年史』にも、明治二〇年代後半の両航路の汽船の記事はない。となると、新聞の出帆広告をみるのがいちばんである。さっそく国立国会図書館へ行き、『大阪朝日新聞』のマイクロフィルムを調べてみた。明治二八年四月七日付の第八面の「大阪商船會社汽船大阪出帆廣告」に、八日発の汽船が出ていた。

明光丸　四月八日午後二時　神戸高松多度津今治三津濱
長濱別府大分佐ヶ關臼杵佐伯土々呂細島行

「明光丸」は、大阪商船の創業時からの木造汽船である。二一二総トン。明治一三年（一八八〇）摂津国兵庫の建造。船齢一五年。かなりの老朽船といってよい。漱石は、この汽船で松山へ行ったのだろうか。

どうも違う。「明光丸」は、何らかの理由で（汽機の不具合など）、この日は出航しなかったらしい。というのは、翌々日の九日付『大阪朝日新聞』（八日は月曜休刊）にも、「明光丸」の出帆広告がのっているからである。

明光丸　四月十日午後二時　神戸高松多度津今治三津濱
長濱別府大分佐ヶ關臼杵佐伯土々呂細島行

大阪～細島は片道二泊三日を要するから、八日発の「明光丸」が、細島まで往復したあと、二日後の一〇日に大阪を出航することはありえない。従って八日発の汽船は、別船に差し替えられたとみてよい。

差し替えた別船は何という船だろう。八日付『大阪朝日新聞』をみれば、それがわかるのだが、この日はあいにく月曜の新聞休刊日。そこで私は、漱石が三津浜に着いた九日の愛媛の新聞を調べてみた。細島行の汽船がのっているはずである。四月九日付『海南新聞』の三津浜出帆広告にその船の名があった（出帆広告は新聞欄外の余白に印刷されているので、マイクロフィルムに入っていない欠落部分がある）。

●三津港出帆滊船　四月九日　久保田回漕店

上り　第二肱川丸　　大阪行

（欠落）

下り　第三宇和島丸　宇和島行

　　　攝津丸　　　　細島行

　　　西豫丸　　　　廣島行

差し替えた別船は「攝津丸」であった。漱石は、四月八日の夕方、神戸からこの船に乗って松山へ行った可能性が高い。「攝津丸」とは、どんな船だろう。

この船も「明光丸」と同様、大阪商船の創業時からの木造汽船である。創業に参加した五五人の船主の一人・武内源太郎の持ち船であった。一二三四総トン。明治一七年（一八八四）に大阪で誕生。主機は単式汽機。出力は一五公称馬力。船齢一一年である。(*45)「明光丸」より新しいが、低性能の汽船であることは似たり寄ったりだ。

四月の出帆広告をみると、「攝津丸」はこの月、宇和島線を三回（大阪発三日、一七日、二五日）航海している。細島線に入ったのは、問題の大阪八日発の一回だけである。緊急配船だったのだろう。いっぽうの「明光丸」は、細島線を二回（大阪発一〇日、二二日）、宇和島線を一回（同一日）航海している。

両船のほか、この年の四月、細島線と宇和島線を計二回以上航海しているのは、『大阪朝日新聞』によると、次の五隻である。「大野川丸」「名草丸」が四回。「佐伯丸」が三回。「亀鶴丸」「大和川丸」が二回。いずれも木造汽船である。

このうち「大野川丸」（三一八総トン）と「大和川丸」（二六五総トン）は、明治二〇年代の建造で、新式の三連成汽機を装備していた。「明光丸」「攝津丸」をふくむ五隻は、明治一〇年代に建造された二〇〇総トン級の低性能船である。漱石は、その低性能の老朽汽船に乗ったものと思われる。

「攝津丸」の客室はどうなっていたのだろうか。この時代の木造汽船の客室のことは、史料が乏しいので、残念ながらわからない。「攝津丸」についても、図面はむろん残っていないし、写真もみたことがない。

私の知るかぎりでは、明治二五年に大阪鉄工所で造られた大阪商船の木造汽船「勝浦川丸」（二〇一総トン）の一般配置図の一部が、大阪鉄工所の後身である日立《ひたち》造船の社史[*46]にのっているだけである。これには、日立造船が所蔵する最も古い設計図である、との注記がついている。

この図面によると、客室は主甲板にあり、船首から船尾方向へ、下等（三等）、上等（一等）、中等（二等）の順に配置されている。客室用の甲板は、この一層だけである。

上等（一等）をふくめ、すべて大部屋。下等客室には、「客棚」と称する桟敷《さじき》が上下二段につくられている。いわゆる「二段客棚」という内装で、明治大正期の下等（三等）客室は、この方式が多かった。

むろん、漱石は小汽船の上等に乗ったはずだから、一般庶民のための「二段客棚」の辛《つら》さはわからないであろう。もっとも、この時期の小汽船のばあい、上等客室でも、個室式ではなかったと思われるので、辛かったことには変わりはない。

航海中の食事はどうしたのだろうか。八日の夕食と九日の朝食は、漱石が船酔いしないかぎり、船中でとったはずだ。だが、肝心の船客のための食堂が、この時代の木造小汽船にあったのかどうか。

常識的にいえば、船中泊をともなう航路の就航する汽船では、二〇〇トン程度の小汽船であっても、食堂の設備があったとみるべきであろう。中、下等用の食堂は考えられないが、上等船客用の食堂と、乗組員用の食堂はあったとみるのが妥当である。

ただし、前述の木造汽船「勝浦川丸」の一般配置図をみると、上、中、下等客室がある主甲板にも、その上層の上甲板にも、食堂らしきものは見当たらない。そもそもこの図面は、たいへん不鮮明なものであるが。

たぶん漱石はボーイにチップをやり、調理室から客室まで食事を運ばせて、客室で食事をしたのではないか。残念ながら、くわしいことはまったくわからない。

同じ明治期の内航客船でも、五〇〇総トンクラスになると、上等（一等）食堂を記入した図面があり、その様子がわかる。たとえば、大阪商船の創業時代の汽船「朝日丸」（五〇五総トン）の一般配置図がある。(*47) この船は大阪商船発足の年（明治一七年）に神戸の小野浜《おのはま》造船所で建造され、同年暮れに大阪商船が買い入れた鉄製汽船である。

その図面をみると、主甲板後部の右舷《うげん》に、二名定員の上等（一等）客室が二室、左舷《さげん》に一室ある。上等船客の定員は六名。そして、この三つの客室にはさまれるかたちで、上等（一等）食堂が設けられている。

図面には、英字で「ファーストクラス・ダイニングサロン」とある。つまり、食堂とサロン（応接室）兼用の公室であり、昔はこの形式の食堂が多かった。食堂の中央には長テーブルが置かれ、その両側にベンチ式の長椅子がついている。配膳室《はいぜんしつ》は左舷の客室の隣。調理室は上甲板の煙突のうしろにある。両側が客室だから、食堂に窓はない。天井のスカイライト（天窓）からの光が頼りである。

「攝津丸」に電気照明があったかどうかは、時期的に微妙なところである。少なくとも竣工《しゆんこう》当初は電灯がなく、ランプだったはずだ。一九世紀後半まで、夜間の船内は、たいへん暗かった。旧大陸とアメリカをむすぶ北大西洋航路の世界一流の客船でも、照明はランプかロウソクであった。しかも夜がふけると消灯するから、船客たちはそれ以後の時間、闇のなかをさまよったのである。北大西洋航路では明治一四年（一八八一）、英キュナード・ラインの「セルヴィア Servia」（七三九二総トン）に白熱電球が導入された。

日本で初めて電気照明が点《とも》った船は、共同運輸会社の「長門丸」（一八五四総トン）とされている。同船が船客にくばったウチワに、「電燈は晝の如し」という語句があるのが、電灯第一船とする根拠のようだ(*48)。

鋼製汽船の「長門丸」は、半官半民の共同運輸がイギリスで建造または購入した新造船一六隻のうちの一隻である。そのうち同船を含む一二隻は、イギリスの造船界で電気照明が普及しつつあった明治一七年に誕生している。おそらく「長門丸」だけでなく、一六隻のすべてに、電灯がついていたのではないか。各船は、岩崎弥太郎《いわさきやたろう》の三菱社船のライバルとして、国内航路で活躍した。

漱石が松山へ旅したのは、その一一年後のことだ。「攝津丸」は瀬戸内航路の小汽船なので、電気照明があったのかどうか。何ともいえない。

本題にもどろう。神戸を四月八日の夕方出航した漱石の汽船は、時刻表どおりであれば、翌九日の午前一一時四〇分に三津浜に到着したはずである。寄港時間は四〇分。次港（長浜）へは一二時半に出帆する。

三津浜の港は沖がかり。桟橋はない。小説『坊っちゃん』の主人公が港に着いたときの記述では、こうなっている。

ぶうといって汽船がとまると、艀が岸を離れて、漕ぎ寄せて来た。船頭は真っ裸に赤ふんどしをしめている。野蛮な所だ。(*49)

三津浜は、江戸時代以来、松山の外港として繁栄してきた。明治に入ってからも、三津浜の繁栄は続く。石崎廻漕店がこの港を拠点にしたことは、前にみたとおりである。明治二三年には、三津浜〜宇品の芸予航路を開設。三津浜は松山の玄関口として、ますます賑《にぎ》わった。

ちなみに、三津浜の読みは「みつはま」であるが、宮本常一《みやもとつねいち》の『忘れられた日本人』(*50)では、「三津ヶ浜」としている。おそらく、「みつがはま」ともいっていたのであろう。

漱石が松山に赴任してきたときには、「坊っちゃん」が乗った「マッチ箱のような汽車」が、すでに走っていた。この軽便鉄道(*51)を運営していたのは、松山の伊予鉄道会社である。明治二〇年に設立され、翌年、松山〜三津の営業を始めた。

軽便鉄道は、明治一三年に開業した工部省釜石《かまいし》鉄道が日本初である。鉱石運搬のための専用鉄道で、イギリスから資材を輸入して建設。八三八ミリ（二フィート九インチ）のゲージを採用した。釜石鉄道は二年余で廃止となり、資材は明治一八年開業の阪堺《はんかい》鉄道(*52)に売却された。阪堺鉄道も当初は軽便であった。伊予鉄道は、これにつづく軽便鉄道ということになる。

三津浜の近くには、もう一つ港がある。三津浜の西北の高浜《たかはま》である。現在の松山観光港のやや南に位置し、対岸には興居島《ごごしま》がある。高浜と三津浜の間には、四十島《しじゅうしま》という岩礁のような小島もある。『坊っちゃん』に出てくる「ターナー島」である。

高浜は天然の良港である。そのため伊予鉄道は、この港を整備し、内海航路との連絡拠点にしようと考えた。明治二五年には、軽便鉄道を高浜まで延長した。これにより、それまで一漁村にすぎなかった高浜は、三津浜に対抗する港となり、両港の住民のあいだで感情の対立が起きた。これがのちのちまで、しこりを残すことになる。日露戦争時の軍事輸送には、高浜が使われた。ついで、海面埋め立てによって新桟橋と待合所が完成。明治三九年九月に盛大な開港式がおこなわれた。大阪商船は支店を三津浜から高浜に移し、すべての定期船を高浜寄港とした。宇和島運輸、尼崎《あまがさき》汽船などもこれにならい、高浜港優位が決定的となったのである。

こうした動きに対し、三津浜の衰退を憂えた地元企業家たちは黙っていなかった。伊予鉄道に対抗して松山電気軌道会社を設立し、三津浜港（江ノ口）〜松山市内〜道後《どうご》を結ぶ電車を走らせた。すべて完成したのは明治四五年で、一四三五ミリの国際標準軌を採用した（のち狭軌へ改軌）。両鉄道の競合は、同社が伊予鉄道に吸収合併される大正一〇年まで続いた。

さて、四月九日の昼近く（午前一一時四〇分）に三津浜に到着した漱石は、本船からハシケに移り、四国の地を踏んだ。上陸には、三〇分あれば十分だったはずだ。そして、伊予鉄道の「マッチ箱のような汽車」に乗った。高浜まで延長したのちの伊予鉄道である。

三津駅までは人力車であろう。大きな携行品があっただろうし、二〇分はかかったのではないか。なにやらかにやらで、下船後、一時間近くたっていたはずだ。三津駅に着いたとき、漱石の時計は、一二時三〇分をまわっていたと思われる。

例によって、『汽車汽船旅行案内』明治二七年一一月号を繰ってみよう。松山方面へは一日一〇本。一時間おきに軽便がある。そのなかで三津発一二時四一分というのがあり、急げばこれに間に合う。乗りそこなったときは、三津発午後一時四一分がある。

松山の外側駅までは約二〇分。途中、古町《こまち》駅に停車する。外側駅は現在の松山市駅である。三津〜外側の運賃は、『汽車汽船旅行案内』にはのっていない。ただ、高浜〜外側は五銭五厘、高浜〜三津は一銭五厘とあるので、四銭ぐらいであろうか。(*53)

松山の外側駅に着いたのは、午後一時。外側駅からはむろん、人力車である。そして、三年まえに泊まったことがある「城戸屋」に、ひとまず落ち着いた。

このとき、漱石の時計の針は、午後一時と二時のあいだにあったはずだ。この日、狩野亨吉あてに松山市内の旅館「城戸屋」から出したハガキの一文、「今九日午後二時頃当市へ著仕候」にピッタリの時間である。

こうして、東京から松山まで、二泊三日、五一時間の大旅行は終わった。

【註】

＊1　嘱託教員。辞令は四月一〇日付。
＊2　ただし、『坊っちゃん』の文中には「松山」の地名は出てこない。
＊3　『漱石全集』第二巻（岩波書店、一九九四年）。
＊4　当時の東海道線には、急行列車はまだなかった。直行列車が一日に三本走っていただけである。急行列車が東海道線に登場したのは明治二九年である。
＊5　一八六五～一九四二年。今の秋田県大館《おおだて》の生まれ。旧制第一高等学校の校長、京都帝大文科大学の初代学長などをつとめた。
＊6　松山市内の三番町《さんばんちょう》にあり、『坊っちゃん』に出てくる「山城屋」のモデルとされている。
＊7　『漱石全集』第二二巻（岩波書店、一九九六年）。
＊8　一八五七～一九二三年。英語学者。漱石の帝国大学大学院（明治二六年入学）における英語の師である。江戸の能楽師の家に生まれた。米マサチューセッツ州のアマースト大学（アーモスト大学とも）に留学し、帰国後、大学予備門で英語を教えた。
＊9　市内の城山の山すそにあった下宿屋（仕出し屋も兼ねた）で、骨董商《こっとうしょう》「いか銀」（津田保吉）の母屋《おもや》の離れになっていた。漱石は松山に赴任した四月中旬から六月下旬まで、ここに下宿した。
＊10　前掲『漱石全集』第二二巻。
＊11　江戸東京博物館・東北大学編『文豪・夏目漱石』展図録、第二章の一「松山での教師生活」（朝日新聞社、二〇〇七年）。
＊12　一九一三～一九七九年。文芸評論家。
＊13　『増補改訂・漱石研究年表』（集英社、一九八四年）。本稿では『漱石年表』と略。

＊14　前掲『漱石年表』一六四頁。
＊15『漱石研究年表』（漱石文学全集・別巻所収、集英社、一九七四年）。
＊16『漱石研究年表』一〇二頁。
＊17　雑誌『庚寅新誌』を月二回発行した。創刊は明治二三年、庚寅の年である。
＊18　一八五三～一九三二年。長州《ちょうしゅう》藩出身。慶應義塾別科を卒業。
＊19　一八四七～一九二二年。臼杵藩出身。慶應義塾に入学。福沢諭吉に見込まれて同義塾の教師となる。その後、三菱に入り、近代的な経営システムを導入。日本郵船、東京海上保険、明治生命保険など、三菱グループの会社設立に携わり、三菱長崎造船所の所長もつとめた。妻の田鶴は岩崎弥太郎の妹さきの長女である。
＊20　宿利重一『荘田平五郎』（對胸舎、一九三二年。ゆまに書房が一九九八年に復刻）。
＊21　Bradshaw's Railway Guide（全英鉄道時刻表）。一八三九年から定期刊行。
＊22　のちに『中国新聞』に統合。
＊23　前掲『漱石年表』一六四頁。
＊24　銀行員の初任給（月給）が三五円、白米一〇キロが一円の時代である。当時からの物価上昇を六千倍として計算すると、下等運賃の三円七六銭は約二万三千円、中等の七円五二銭は約四万五千円、上等運賃の一一円二八銭は約六万八千円になる。
＊25『復刻版・懐かしの時刻表』（中央社、一九七二年）。
＊26　広島～宇品連絡には京橋《きょうばし》川の舟運を利用する方法もあった。『芸備日日新聞』には「運送組」（広島市大手《おおて》町《まち》）による「宇品広島間往復艀舟輸送」の広告がたびたび出ている。ただし、貨物輸送が主体だったと思われる。ちなみに、当時の宇品港には内航船が着岸できる桟橋があった。
＊27　石崎汽船『石崎汽船史―海に生きる』（同社、一九九五年）一〇〇頁。
＊28　当時の『芸備日日新聞』には「遠賀丸」（八三総トン）という小汽船の広告がたびたび出て

くる。午前九時に宇品を出航し、呉、音戸を経て三津浜にいたる便である。

＊29　愛媛の郷土史家・山崎善啓氏は、漱石は八日夜、広島に泊まり、翌朝八時宇品発の「赤穂丸」に乗船したとしている（平成一九年一二月の「坂の上の雲ミュージアム」における講演で）。しかし、明治二八年六月二九日付『芸備日日新聞』の「赤穂丸」の広告によると、午前八時宇品発の運航が始まったのは同年六月二八日からである。漱石赴任時の四月には午前八時発の便はなかった。

＊30　三宅俊彦『復刻版・明治大正時刻表』（新人物往来社、一九九八年）一七一頁。

＊31　一便は宇品発午前一時、三津浜着午前六時一〇分。三津浜発午前一一時一〇分、宇品着午後四時二〇分（所要時間は往復とも五時間一〇分）。二便は宇品発午前九時三〇分、三津浜着午後一時四〇分。三津浜発午後一〇時三〇分、宇品着午前二時四〇分（同四時間一〇分）。

＊32　逓信省管船局の『日本船名録』は、明治二〇年版から毎年発行されている。それ以前のものでは、明治一四年と翌一五年に民間人が発行したものがあるが、データの少ない薄い冊子である。『日本船名録』のデータは、逓信省管船局の登録原簿（登簿船）や、地方庁の登記簿（不登簿船）にもとづいたものなので、きわめて信頼性が高い。

＊33　明治二九年版『日本船名録』（明治二八年一二月末現在）によると、「第三相生丸」は一〇九総トン。長さ九六・九尺、幅一三・九尺、満載喫水六・〇尺。明治二七年一一月摂津国西成《にしなり》郡難《なん》波《ば》島の建造。造船工長は空幾太郎。船籍地は伊予国三津浜。船主は石崎平八郎となっている。明治三七年版『日本船名録』においてもデータはほぼ同じである。

＊34　明治三七年版『日本船名録』（明治三六年一二月末現在）によると、大阪商船の「那智川丸」は、一七八総トン。長さ一一二・〇尺、幅一六・〇尺、満載喫水七・〇尺。明治三三年三月大阪（前川留吉）の建造となっている。

＊35　山陽鉄道会社運輸課編。明治二八年五月吉岡書店（大阪）発行。

＊36　川口波止場は安治《あじ》川下流の富島《とみじま》（現・西区《にし》川口）のあたりにあった。今の中央卸売市場の対岸である。建設されたのは慶応《けいおう》四年、この地に外国人居留地が設けられてからのこと。かつては大阪府庁や住友《すみとも》本店がこのあたりにあり、大阪の行政、商業の中心地であった。汽船で賑《にぎ》わうようになったのは西南戦争後のことで、明治一七年に設立された大阪商船は、この地を同社の拠点とした。漱石が松山へ赴任した明治二八年秋には、レンガ造りの瀟洒《しょうしゃ》な大阪商船本社が増築された。

＊37　『大阪商船株式會社五十年史』（同社、一九三四年）一四八頁。

＊38　『汽車汽船旅行案内』明治二七年一一月号による。

＊39　村田誠治『神戸開港三十年史』（神戸市開港三十年記念會、一八九八年）。

＊40　『神戸開港百年史』建設編（神戸市、一九七〇年）。

＊41　大正初年に大阪商船の所有となる。

＊42　文中の神戸支店は大阪商船の創業二年後の明治一九年に、海岸通三丁目一七番地に開設されたもの。手狭な建物だったらしい。そのため大正一一年、旧外国人居留地の海岸通五番地に、鉄筋コンクリート九階建て（地階とも）の商船ビルが新築され、神戸支店となった。今の商船三井《みつい》ビルがこれである。

＊43　『大阪商船航路案内』一五頁。

＊44　前掲『大阪商船航路案内』一六頁。

＊45　明治二九年版『日本船名録』によると、明治一七年八月摂津国大阪松島《まつしま》町の建造。造船工長は兵庫谷源次郎となっている。

＊46　『八〇周年を迎えて』（日立造船、一九六一年）二一頁。

＊47　『日本近世造船史―明治時代―』（造船協会編、一九一一年）の『附図』所収。

＊48　山高五郎『日の丸船隊史話』（千歳書房、一九四二年）一二八頁。

＊49　前掲『漱石全集』第二巻。
＊50　『忘れられた日本人』（岩波書店、一九八四年）二三六頁。
＊51　軽便鉄道とは、「軌間が狭小で、小型の機関車・車両を使用する鉄道」（『広辞苑』）のことである。つまり、線路の幅（ゲージ）が狭い小規模な鉄道のことだ。ふつうは一〇六七ミリ（三フィート六インチ）未満のゲージの鉄道を指しているが、日本では七六二ミリ（二フィート六インチ）の軽便が多い。
＊52　現在の南海《なんかい》電気鉄道。
＊53　『漱石年表』では運賃三銭五厘。

あとがき

書きすすめながら、今回の「ヘンな論文」のテーマがアマチュアリズムであることに気づいた。

今回ご紹介した論文のなかには、卒業論文という、研究史上ではその価値があまり認められていないものから、在野の研究者たちの研究、そして極め付きは「「坊っちゃん」と瀬戸内航路」の山田廸生先生のようなアカデミズムの世界にまったく染まっていない知の巨人のものまで存在した。

大学に籍を置く教員、あるいはどこかの研究所に所属していたり、研究することが仕事になっている人たちを「プロフェッショナル」とするならば、こういった人たちは「アマチュア」ということになる。しかし、研究においてはこのプロとアマの差というのは、日常生活で使われる意味とは多少ニュアンスが変わってくる。

前作『ヘンな論文』で「コーヒーカップとスプーンの接触音の音程変化」という論文を紹介したが、その著者でもある塚本浩司先生は、ガリレオ・ガリレイの時代から、研究というのは基本的にアマチュアリズムである、ということをおっしゃっていたのを思い出した（正確にいうと、塚本先生の師匠、板倉聖宣先生が指摘している）。自分が疑問に思ったり、猛烈に惹《ひ》きこまれた事物について、その仕組みがどうなっているのか、またなぜそうなったのかを考えることに、当初は金銭は発生していなかったはずだ。研究すること自体が目的化してお金になっているのは、ある意味本来の研究の動機ではない。

今回紹介した論文の一本一本も、その著者の先生たちが心血を注ぎ、また人生の貴重な時間を割いて書いたものである。「なんでそんなことを」「だからなんだっていうのだ」というツッコミにはさんざん耐えてきた人たちである。そういった小さいツッコミには動じない大きな「ボケ」が各論文である。

私は芸人だしツッコミもするから、ちょくちょくツッコミは入れるものの、基本的にこの「ボケ」を否定することはできない。なぜならそれは小手先のものではなく、何年、何十年にも亘《わた》って熟考を重ね、場合によってはだれよりも自分自身が激しいツッコミを入れながらも、手をつけずにはいられなかった研究だからだ。

私が提案したいエンターテイメントは、おかしいなと思う人に対して「おかしい」と、「あっち側」にいる人に「こっち側」からツッコむわかりやすいものではなくて、最終的にはその人とおなじ景色が見られる「あっち側」に立って、「こんな風景なんだ、それにしてもしょうもない」と感動とバカバカしさを感じてもらうものだ。私の役割は、「こっち側」から「あっち側」へ皆さんを案内するだけである。

前作の『ヘンな論文』は、おかげさまで思っていたよりも多くの方に読んでいただき、このように続編を出すに至った。中学生や高校生が読んで地元のビブリオバトルで紹介してくれたり、大学の生協に置いてあって大学生が読んでくれたり、大学の先生が「これが研究というものだ」と共感してくださり授業で紹介してくれたりと、まさに現役世代にも届いたことは予想外の喜びであった。卒業論文などは、多くの人たちにとって後悔しか残らない存在かもしれないが、それでもこれから研究する時間があったりテーマを持っている人たちがこの本を読んでくれたら、少しでも研究が楽しくなるのではないかと思って卒業論文なども紹介した。研究は、楽しいものです。エンターテイメントです。

また、すでに義務教育や大学での学生生活を終えた皆さん。「もう一度大学に行きたいな」「もう一度ちゃんと研究したいな」と思っている人が多くいらっしゃると思うが、再度大学なんて行かなくていい。在野で研究していらっしゃる方はたくさんいるし、学会にはだれでも所属できる。いつ、だれでも、どんな研究でもできる。そんなことを知ってもらいたく、在野の研究もご紹介した。中学生だって研究はできる。

こんなことばかりしていて自分の研究がおろそかになっている私だが、科学コミュニケーション（研究が日常世界にどうフィードバックされているか、や、研究の意味を一般の方にもわかるように説明する学問領域）も自分にできることのひとつなのかなと思い、恥ずかしながら今回またこのように形にしてみた。

さんざん「ヘンな論文」と言っているので著者の先生方はさぞお怒りだろうと思うのだが、驚いたことに、どの先生からも基本的には歓迎を受け、「よく読んでくださいました」「よくぞ紹介してくれた」と喜びの声が届いている。どれだけ孤独な人たちなのだろう。いや、あなたたちはすごい！　もっと多くの人に読んでもらうべきだし、もっと多くの人から賛辞を贈られるべきだと私は思う！　心から尊敬してるし、紹介の許可をいただいたことに感謝しています。

先述の塚本先生なんて、千葉県の高校教諭だったけど、その後千葉科学大学の教授になった。仮説実験授業を先生の卵たちに教えるという使命を、ついに果たすときがきたようだ。喜ばしいことだが、塚本先生はその大学の就職面接のときに、『ヘンな論文』を持って行って「この本にこう紹介されています」とプレゼンしたそうだ。どこの世界に「私の研究はヘンだと紹介されています」と言う人がいるだろう。しかし、その大学の先生たちは、「素晴らしい！」と感心してぜひ大学に来てください、となったそうだ。なんだかうれしいじゃないか。世の中、捨てたもんじゃない。

本文でも紹介したが、母方の奈良の祖父も最晩年までだれに伝えるでもないのにずっと新聞を切り抜き続け、仏像の研究論文を読んでいたし、自分でもいろいろ調べていた。父方の祖父も、だれに伝えるでもなく、フランス語やマレー語の本を読んで最新の文学の情報を入れていた。最晩年は呆けても外国語をしゃべっていたほどである。してみると、人の好奇心は衰えない。肉体が衰えても、好奇心、心は衰えない。私の指導教授も、定年後でもずっと研究を続けている。学者はつねに、残り時間との戦いだ。

いろんなところで言っているが、ここでもまた言う。

学者とは、研究者とは、皆さんの一番近くにいる狂人だ。

しかし、みなさんも「あっち側」に行ったほうが断然人生は楽しい。苦しくなる人もいるけれど、それもまた楽しい。笑って過ごすしかない。

そして、これももう一度言いたい。

美しい夕景を見たとき、それを絵に描く人もいれば、文章に書く人もいるし、歌で感動を表現する人がいる。

しかし、そういう人たちのなかに、その景色の美しさの理由を知りたくて、色素を解析したり構図の配置を計算したり、空気と気温を計る人がいる。それが研究する、ということである。

だから、研究論文は、画家や作家や歌手と並列の、アウトプットされた「表現」でもある。無粋だという人もいれば、最高に詩的だという人もいるだろう。美しいものを支配する法則もまた美しい。研究は未来を予見する表現だ。

趣味でやっていた論文収集を発表する場を与えてくれたTBSラジオ『荒川強啓デイ・キャッチ!』の長田ゆきえプロデューサー、締切を何度もスルーした私の尻を根気強く叩きつづけてくれたKADOKAWAの麻田江里子さん、また「ヘンな論文」のキッカケを作ってくれた白井奈津子さん、本当にありがとうございます!

校正の野元愛さん、素敵なイラスト(これ本当好き!)を描いてくださった岡田丈さん、装丁の國枝達也さん、紹介を許可してくださった先生方と学会の方々、誠にありがとうございます。

次回は、「まだまだヘンな論文」、あるいは研究人生を線で追う「ヘンな学者」でお会いしましょう。

私に研究の楽しさを教えてくれた二人の祖父と、三人の師平岡篤頼先生・中村明先生・野村雅昭先生に感謝します。

二〇一七年四月

米粒写経　サンキュータツオ

文庫版あとがき

単行本が発売されたときから3年が経ちました。

山田廸生先生は現在83歳、お元気です。このたび文庫化するという報をきいてとても喜んでくださいました。

山田先生はこの本でも紹介した、09年のこの「『坊っちゃん』と瀬戸内航路」を発表してから、12年に「漱石《そうせき》と房州航路」、13年に「鷗外と川蒸気通運丸」、17年に「漱石の欧州航路体験」と明治の文豪と船シリーズ（と私が勝手に呼んでいる）を、『海事史研究』に発表しています。今後また新作が出てくるのか、ワクワクして待っています。今回文庫化にあたり、瀬戸内航路の論文をそのまま転載する許可をいただきました。山田先生ならびに『海事史研究』の皆様に改めて感謝申し上げます。この論文を読むトキメキは、どうか体験していただきたいのです。研究に携わっていない人でも読めるような構成と文体なのは読んでいただいた方ならおわかりでしょう。一篇のミステリを読む気持ちで読んでいただけたのではないかと思います。

本書は『ヘンな論文』の続編ということで、普通二冊目の反響って薄くなりがちなんですが、個人的なことで言えば本書もまたいろいろな方から感想を頂戴《ちょうだい》して、書いて良かったなと思っています。嬉《うれ》しいのは、大学や高校などの教育の現場で、先生方が教材として使用してくださっているという話を聞くことです。私も現在大学一年生向けの読み書きのクラス（初年次教育）を担当しているのですが、そういった現場でレポートの書き方とか論文の書き方、などカターい内容の授業をしても、高校を卒業したばかりの学生にはピンとこない。興味を持てずに「こういう、身の回りのこととは関係のない、ちゃんとした雰囲気の内容と書き方でなければならないのか」という先入観を持たせてしまう原因にもなり、学問そのものにアレルギーを持ってしまう学生がたくさんいます。そこがもったいないんですよね。たとえばピアノでも、かなり真面目な先生に教わってしまうと、音楽というのは譜面通りきちんと演奏するものであって「楽しむ」という心の在り方がおろそかになってしまうことがあるように、学問も「難しくてとっつきづらい」と思われるより前に、「楽しい」こと、そして「だれでもやろうと思えばできる」ことを知ってもらうのが大事です。なので、拙い文章ですが私の本を使ってくださっている先生方にも、改めて感謝申し上げます。

六本目の、寄藤晶子さんの競艇場の論文は、この本が発売されてからすぐ出演したNHKラジオの番組で、作家の高橋源一郎さんが朗読してくださいました。いろいろ

片手袋研究の石井公二さんの研究は書籍になった！『片手袋研究入門　小さな落としものから読み解く都市と人』石井公二著、実業之日本社、2019年

な年齢層の、いろいろな目的を持った人が集う、どこかユルい場所。そんな競艇場の描写をする寄藤さんの文に、源一郎さんは感動してくださいました。これはもう文学だと。

窮屈な世の中です。人が人を監視し、壁を作り、いまはマスクをして、接触もせず、ずっと全員が学級会に出ているような雰囲気です。いつかそんな空気も変えられたらなと思って私は日々漫才なんかを劇場でやっているのですが、寄《よ》席《せ》や劇場は数少ない「気をユルめてもよい場所」（決してマナーを破っていい場所ではない、というのが大事）なんですよね。でも、日常のなかでも、寄藤さんのような知性や愛情を持っていれば、人が集う場の大切さを自覚して、慈しむことができるようになると思います。

書籍化する際に、最終的に掲載許可をくださった諸先生方も「自分のはそんなにおかしいと思わないが……」と最初だいぶ警戒していらっしゃいました。それは当たり前ですよね。ただでさえよく知らない「芸人」と称する人間に、自分の論文が紹介されるなんて、バカにするのか、と思われるでしょう。でも、ちゃんと趣旨に耳を傾けて許可してくださいました。自分のすぐ近くにいる人が、なにをしているのかわからない「怖さ」を、どんな「楽しい」ことをしているのだろうという「ワクワク」に変換するのが知性だと思います。

もし、紹介した論文のタイトルをみて、最初「なにをしているのかさっぱりわからない」と思っていた人が、読み終わったあとに「こんなことを考えている人たちがいたなんて！」と思ってくださっていたら、読者の皆さんが知性をフル回転させた証拠でしょう。

大げさなことを言うと、こういう作業から、世界を変えられたらいいなと思っています。

文庫化にあたり、担当してくださったKADOKAWAの麻田江里子さん、改めて校正を担当してくださった黒田恵美さん、本当にありがとうございます。麻田さんには、いつも原稿が遅くなったり、午前中に渡しにいくとかウソ言って午後に家を出たりしてご迷惑をかけているんですけど、常に寛大な母のような心（といっても、私の母は寛大な人間ではないので、たぶん実母以上のイデア母の心）で接していただき、感謝してもし尽くせません。

またみなさんに研究の世界の新たな楽しさを知ってもらうべく、図書館に入れるようになったらたくさん論文を仕入れたいと思います。

米粒写経　サンキュータツオ

二〇二〇年初夏　コロナの時期に

本書は、二〇一七年五月に小社より刊行した『もっとヘンな論文』を加筆修正のうえ文庫化したものです。

もっとヘンな論文《ろんぶん》

サンキュータツオ

令和2年 7月25日 初版発行
令和6年 10月10日 5版発行

発行者●山下直久

発行●株式会社KADOKAWA
〒102-8177 東京都千代田区富士見2-13-3
電話 0570-002-301(ナビダイヤル)

角川文庫 22253

印刷所●株式会社KADOKAWA
製本所●株式会社KADOKAWA

表紙画●和田三造

ISBN 978-4-04-400626-6 C0195

◆◇◇

角川文庫発刊に際して

角川源義

第二次世界大戦の敗北は、軍事力の敗北であった以上に、私たちの若い文化力の敗退であった。私たちの文化が戦争に対して如何に無力であり、単なるあだ花に過ぎなかったかを、私たちは身を以て体験し痛感した。西洋近代文化の摂取にとって、明治以後八十年の歳月は決して短かすぎたとは言えない。にもかかわらず、近代文化の伝統を確立し、自由な批判と柔軟な良識に富む文化層として自らを形成することに私たちは失敗して来た。そしてこれは、各層への文化の普及滲透を任務とする出版人の責任でもあった。

一九四五年以来、私たちは再び振出しに戻り、第一歩から踏み出すことを余儀なくされた。これは大きな不幸ではあるが、反面、これまでの混沌・未熟・歪曲の中にあった我が国の文化に秩序と確たる基礎を齎らすためには絶好の機会でもある。角川書店は、このような祖国の文化的危機にあたり、微力をも顧みず再建の礎石たるべき抱負と決意とをもって出発したが、ここに創立以来の念願を果すべく角川文庫を発刊する。これまで刊行されたあらゆる全集叢書文庫類の長所と短所とを検討し、古今東西の不朽の典籍を、良心的編集のもとに、廉価に、そして書架にふさわしい美本として、多くのひとびとに提供しようとする。しかし私たちは徒らに百科全書的な知識のジレッタントを作ることを目的とせず、あくまで祖国の文化に秩序と再建への道を示し、この文庫を角川書店の栄ある事業として、今後永久に継続発展せしめ、学芸と教養との殿堂として大成せんことを期したい。多くの読書子の愛情ある忠言と支持とによって、この希望と抱負とを完遂せしめられんことを願う。

一九四九年五月三日

角川文庫ベストセラー

ヘンな論文

サンキュータツオ

珍論文ハンターのサンキュータツオが、人生の貴重な時間の多くを一見無駄な研究に費やしている研究者たちの大まじめな珍論文を、芸人の嗅覚で突っ込みながら解説する、知的エンターテインメント本！

学校では教えてくれない！国語辞典の遊び方

サンキュータツオ

芸人ならではの切り口で、代表的な国語辞典を例にとりながら、語数、品詞、デザイン、歴史、用例、語釈などから辞書の魅力や違いを多面的に紹介。あなたの知らないディープな辞書の魅力を味わえる一冊！

坊っちゃん

夏目漱石

単純明快な江戸っ子の「おれ」（坊っちゃん）は、物理学校を卒業後、四国の中学校教師として赴任する。一本気な性格から様々な事件を起こし、また巻き込まれるが。欺瞞に満ちた社会への清新な反骨精神を描く。

オトコのカラダはキモチいい

二村ヒトシ
金田淳子
岡田育

前立腺だって、愛されたい――。AV監督の二村ヒトシ、腐女子代表の岡田育、BL研究家の金田淳子という3巨頭が、禁断の男性の体について徹底的に語り下ろす。10年先のエロの現場まで見通せます。

愛情生活

荒木陽子

「彼は私の中に眠っていた、私が大好きな私、を掘り起してくれた」。天才写真家、荒木経惟の妻、陽子。クレージーで淋しがりで繊細な二人の、センチメンタルな愛の日々を綴るエッセイ。解説・江國香織

角川文庫ベストセラー

見仏記5
ゴールデンガイド篇

いとうせいこう
みうらじゅん

京都、奈良の有名どころを回る〝ゴールデンガイド〟を目ざしたはずが、いつしか二人が向かったのは福島県。会津の里で出会った素朴で力強い仏像たちが二人の心をとらえて放さない。笑いと感動の見仏物語。

見仏記6
ぶらり旅篇

いとうせいこう
みうらじゅん

ぶらりと寺をまわりたい。平城遷都1300年にわく奈良、法然上人800回忌で盛り上がる京都、そして不思議な巡り合わせを感じる愛知。すばらしい仏像たちを前に二人の胸に去来したのは……。

見仏記7
仏像ロケ隊がゆく

いとうせいこう
みうらじゅん

仏像を見つめ続け、気づけば四半世紀。仏像を求めて移動し、見る、喩える、関係のない面白いことを言う。それだけの繰り返しが愛おしい、脱線多めの見仏旅。ますます自由度を増す2人の珍道中がここに！

人として軸がブレている

大槻ケンヂ

「人として軸がブレている」と自ら胸をはって大きな声で公言する、オーケンならではの眼差しから紡がれる珠玉の爆笑のほほんエッセイ48＋1編！ 人として軸がブレている。でもいいんじゃん？

サブカルで食う
就職せず好きなことだけやって生きていく方法

大槻ケンヂ

「サブカルな人になって何らかの表現活動を仕事にして生きていくために必要な条件は、才能・運・継続！ それは赤っ恥の連続で、それが表現者のお仕事」という見解にたどり着いた大槻ケンヂの自伝的半生。

角川文庫ベストセラー

角川文庫ベストセラー

町中華とはなんだ
昭和の味を食べに行こう

北尾トロ
下関マグロ
竜　超
（町中華探検隊）

聞けば誰しも「ああ、あれね」と頭に浮かぶ「町中華」。ブームのきっかけとなった一冊がこれ！　昭和の古きよき食文化を記録するため「町中華探検隊」が立ち上がった。彼らが現場で捉えたのは。異色の食レポ。

タイ怪人紀行

ゲッツ板谷
写真／鴨志田　穣
絵／西原理恵子

金髪デブと兵隊ヤクザ、タイで大暴れ。不思議な国・タイで出会った怪人たちと繰り広げる、とにかく笑える〝怒涛の記録〟。サイバラ描き下ろしマンガも収録。ゲッツ板谷が贈る爆笑旅行記！

ベトナム怪人紀行

ゲッツ板谷
写真／鴨志田　穣
絵／西原理恵子

「2年前、オレはベトナムに完敗した……」。不良デブ＝ゲッツ板谷と兵隊ヤクザ＝鴨志田穣が今度はベトナムで雪辱戦。またもや繰り広げられる怪人達との怒濤の日々。疾風怒濤の爆笑旅行記第2弾！

下に見る人

酒　井　順　子

人が集えば必ず生まれる序列に区別、差別にいじめ。時代で被害者像と加害者像は変化しても「人を下に見たい」という欲求が必ずそこにはある。自らの体験と差別的感情を露わにし、社会の闇と人間の本音を暴く。

子の無い人生

酒　井　順　子

『負け犬の遠吠え』刊行後、40代になり著者が悟った、女の人生を左右するのは「結婚しているか、いないか」ではなく「子供がいるか、いないか」ということ。子の無いことで生じるあれこれに真っ向から斬りこむ。

角川文庫ベストセラー

この世でいちばん大事な「カネ」の話　西原理恵子

お金の無い地獄を味わった子どもの頃。お金を稼げば自由を手に入れられることを知った駆け出し時代。お金と闘い続けて見えてきたものとは……「カネ」と「働く」の真実が分かる珠玉の人生論。

スナックさいばら　けものみち篇　西原理恵子

恋愛、結婚、出産、子育て。キレイゴトでは済まされない問題に、豊富な経験値にもとづいた的確なアドバイスを送る、本音のガールズトーク。人生のスカを引かないための最強サバイバル戦術指南！

あやしい探検隊　済州島乱入　椎名　誠

今度は済州島だ！　シーナ隊長と隊員は気のいい現地ガイド兼通訳・ドンス君の案内で島に乱入。総勢17人がクルマ2台で島を駆け巡る。笑いとバカと旨いもの盛りだくさん、「あやしい探検隊」再始動第2弾！

椎名誠　超常小説ベストセレクション　椎名　誠

過去30年にわたって発表された小説の中から著者が厳選し加筆・修正した超常小説のベストセレクション。〝シーナワールド〟と称されるSFにもファンタジーにも収まりきらない〝不思議世界〟の物語を濃密収録。

長さ一キロのアナコンダがシッポを噛まれたら　椎名　誠

もし犬や猫と会話できるようになったら？　長さ一キロのアナコンダがシッポを噛まれたら？　行動派作家、椎名誠が思考をアレコレと突き詰めて考えた！　くねくねと脳ミソを刺激するふむふむエッセイ集。

角川文庫ベストセラー

地球上の全人類と全アリンコの重さは同じらしい。　椎名誠

人間とアリの本質的な違いとは何か？　地球の水はどうなってしまうのか？　中古車にはなぜ風船が飾られているか？　椎名誠が世界をめぐりながら考えた地球のこと未来のこと旅のこと。

さらばあやしい探検隊 台湾ニワトリ島乱入　椎名誠

シーナ隊長の号令のもとあやしい面々が台湾の田舎町に集結し、目的のない大人数合宿を敢行！　ニワトリ集団と格闘し、離島でマグロを狙い、小学生たちと真剣野球勝負。〝あやたん〟シリーズファイナル！

映画道楽　鈴木敏夫

大ヒットを生み出し続ける映画制作会社・スタジオジブリの名プロデューサーが映画を語り尽くす！　映画ファン、ジブリファン、また映画を志す人にも必携の1冊。

家出のすすめ　寺山修司

愛情過多の父母、精神的に乳離れできない子どもにとって、本当に必要なことは何か？「家出のすすめ」「悪徳のすすめ」「反俗のすすめ」「自立のすすめ」と四章にわたり現代の矛盾を鋭く告発する寺山流青春論。

書を捨てよ、町へ出よう　寺山修司

平均化された生活なんてくそ食らえ。本も捨て、町に飛び出そう。家出の方法、サッカー、ハイティーン詩集、競馬、ヤクザになる方法……、天才アジテーター・寺山修司の100％クールな挑発の書。

角川文庫ベストセラー

ポケットに名言を　寺山修司

世に名言・格言集の類は数多いけれど、これほど型破りな名言集はきっとない。歌謡曲から映画の名セリフ。思い出に過ぎない言葉が、ときに世界と釣り合うことさえあることを示す型破りな箴言集。

生きるのも死ぬのもイヤなきみへ　中島義道

「生きていたくもないが、死にたくもない」そう、あなたの心の嘆きは正しい。そのイヤな思いをごまかさず大切にして生きるほかはない。孤独と不安を生きる私たちに、一筋の勇気を与えてくれる哲学対話。

怖い絵　中野京子

残酷、非情で甘美……名画の〝怖さ〟をいかに味わうか、そんな新しい鑑賞法を案内する大ヒットシリーズの第1弾。ラ・トゥール『いかさま師』、ドガ『エトワール』など22点の隠れた魅力を堪能！

危険な世界史　血族結婚篇　中野京子

エリザベートの天敵、鬼姑ゾフィー皇太后には似つかわしくない初々しい過去とは？　スペイン・ハプスブルク家滅亡の原因となった忌まわしい〝血の呪い〟とは？　世界史が断然面白くなる歴史的スター逸話集。

名画に見る男のファッション　中野京子

ハイヒール、豪華な毛皮、脚線美、これらすべて男の特権だった。男たちが暑さにも痒みにも耐えオシャレに頑張る姿。「怖い絵」シリーズの中野京子が、絵画に描かれた男性の当時の最先端ファッションを斬る！

角川文庫ベストセラー